ENCADREMENT DÉCORATIF

Miranda Innes

ENCADREMENT DÉCORATIF

Photos de Clive Streeter
Traduit de l'anglais par I. Chedal & M. Desvignes

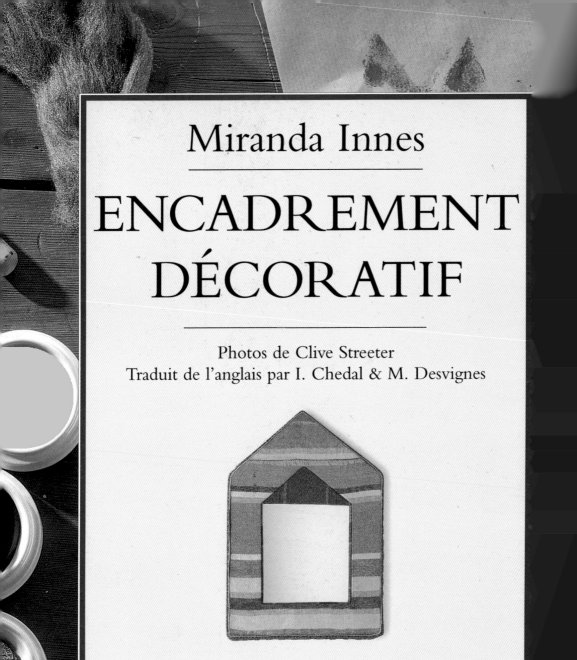

DENOËL

Titre original : DECORATIVE FRAME
© 1995 Collins & Brown, London
ISBN 0 7513 0248 1

et pour la traduction française
© 1996, by Éditions Denoël
9, rue du Cherche-Midi, 75006 Paris
ISBN 2.207.24423.7
B 24423.3

Sommaire

Cadres en bois et en métal

Cadres en papier et en tissu

Introduction

Tout décorateur rêve d'encadrement. Les cadres personnalisent vos œuvres d'art ; ils mettent en valeur des gravures banales. Ils rehaussent une collection disparate de souvenirs auxquels vous êtes attaché et, s'ils entourent un miroir, ils flattent votre visage.

Dans une pièce, les cadres jouent le rôle de bijoux ou d'accessoires ; que les cadres tranchent avec le décor ou qu'ils s'harmonisent avec les couleurs ou la décoration, ils permettent à tous les éléments de s'accorder telle une fugue musicale. Si vous ne vous sentez pas l'âme d'un artiste ou d'un peintre, vous pouvez toujours exprimer votre sensibilité en parant votre nature morte d'un cadre qui met en valeur ses formes et ses couleurs ainsi que les objets qui l'entourent, de sorte que l'ensemble aura beaucoup plus d'allure que chaque élément pris séparément. Sans trop d'efforts — et sans

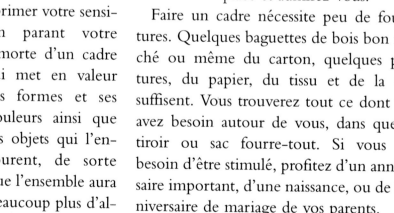

Finesse du papier aluminium
Éléments assemblés, traits en relief, pour un cadre-bijou.

grande prétention — vous aurez créé quelque chose qui mérite d'être regardé.

Curieusement, les cadres sont faciles à faire. Je ne parle pas ici de cadres achetés et de leur perfection — ils sont sans surprise, si soignés et si fades que vous ne les voyez pas véritablement. Ce livre est rempli de cadres que vous pouvez réaliser vous-même et embellir, de cadres personnalisés qui ont du charme et reflètent vos goûts, et dont vous pouvez être fier à juste titre. Si votre cadre achevé tue l'image pour laquelle vous l'avez conçu, eh bien, jetez l'image, mettez un miroir à sa place et admirez-vous.

Faire un cadre nécessite peu de fournitures. Quelques baguettes de bois bon marché ou même du carton, quelques peintures, du papier, du tissu et de la colle suffisent. Vous trouverez tout ce dont vous avez besoin autour de vous, dans quelque tiroir ou sac fourre-tout. Si vous avez besoin d'être stimulé, profitez d'un anniversaire important, d'une naissance, ou de l'anniversaire de mariage de vos parents.

Marines
Aquarelle parfaitement amarrée au milieu du bois flotté.

Découpages
Photocopies, découpages et couleur, le photocopieur est votre ami.

Si vous n'êtes pas encore séduit, essayez de disposer, sur une feuille de beau papier, les cartes, les papiers, les rubans et les nœuds des emballages de cadeaux associés à trop de souvenirs pour être jetés. Si votre collage est réussi, n'hésitez pas à lui faire l'honneur d'un encadrement orné de découpages de papiers cadeaux, ou d'un cadre en papier mâché fait avec des papiers de soie colorés. Des souvenirs joliment encadrés ont tellement plus de sens que des photos et des cartes entassées dans un sac au fond d'un placard.

Tout peut être mis en valeur avec une telle forme d'habillage. Vous pouvez immortaliser un moment de bonheur à la campagne avec un collage de photos et de feuilles d'automne associées à l'addition du dîner et à l'étiquette de la bouteille de vin, dans un cadre en bois couleur fauve et or. Le butin d'un séjour au bord de la mer — coquillages, galets, cartes postales et petits « souvenirs » affreux — fera merveille dans un cadre de bois flotté délavé. Quand vous aurez pris goût aux cadres, le bois brut vous paraîtra nu et incomplet.

Rythme en bleu
Élégants caractères italianisants pour un cadre de papier mâché.

Scrap de charme
Forme en carton recouvert de tissu riche en couleurs.

Vos doigts vous démangeront pour transformer tous ces rectangles conventionnels en y ajoutant une touche de dorure, un motif au pochoir ou un colorant pour bois raffiné.

Les cadres de base sont bon marché, évitent des soucis et économisent du temps que vous consacrerez à votre activité créative. Laissez les autres se soucier de la coupe à onglets nette qui rend le cadre solide, vous avez mieux à faire, essayer la mosaïque par exemple. Vous avez sûrement toujours pensé, à tort, qu'il fallait avoir beaucoup d'expérience. Mais pas du tout, il faut une idée simple et beaucoup de patience. Si vous avez déjà fait un essai avec des tesselles chatoyantes achetées à cet effet, vous pouvez tenter de recycler les morceaux cassés bleu et blanc de votre beau service de table en porcelaine. Osez un décor kitsch avec des fragments de miroir et des perles de verre.

Toutes sortes de choses servent à faire des cadres, et les cadres sont faits avec toutes sortes de choses. Avec ce livre et une once d'ingéniosité, de splendides décors sont à votre portée.

Chiffons royaux
Bouts de tissu crochetés à la main — apothéose de la récupération.

Techniques de base et finitions

Pour faire un beau cadre il vous faut le matériel et les fournitures adéquats. Les outils indispensables sont : un cutter, une règle métallique, une scie à tenon, une boîte à onglets, des pinces, des pitons et du cordon de nylon. Les fournitures de base sont : des baguettes de bois, du carton de montage, de la colle vinylique, du ruban adhésif d'emballage, du verre prédécoupé et de l'Isorel pour le fond.

Fabrication d'un cadre

Commencez par choisir la taille de votre cadre. Mesurez la longueur et la largeur du tableau ou du passe-partout s'il y en a un, puis ajoutez 3 mm à chaque mesure pour l'ajustage. Ajoutez les deux cotes et multipliez le résultat par 2 pour obtenir la longueur totale. Pour tenir compte du dépassement des baguettes par rapport au tableau, il faut multiplier la largeur de la baguette par 8 et ajouter le résultat au total précédent. Puis ajoutez 5 cm pour le découpage. Le chiffre obtenu est celui de la longueur totale de la baguette que vous devez acheter. Il est préférable d'acheter une longueur de baguette plutôt que deux car il peut y avoir de légères différences dans leur fabrication.

Il est très important d'avoir des mesures précises quand vous coupez les pièces du cadre. Mesurez toujours le long du bord extérieur de la baguette. La longueur de chaque côté du cadre doit être égale à la longueur ou largeur du tableau plus 3 mm, plus deux fois la largeur de la baguette.

Après avoir coupé les angles en onglet, ne les poncez pas, même si les extrémités vous paraissent rugueuses, car elles ne s'ajusteraient pas parfaitement. Ne poncez rien tant que le cadre n'a pas été assemblé. Pour renforcer l'assemblage vous pouvez planter deux pointes dans chaque coin.

Décidez quelle surface du tableau vous voulez montrer, puis ajoutez 5 à 7,5 cm pour le passe-partout. Découpez le passe-partout avec un cutter. Couper un bord biseauté peut demander un peu d'expérience. Le travail est plus facile avec un cutter à biseau. Sa lame est ajustée au bon angle et on peut l'adapter aux différentes épaisseurs du passe-partout.

Finitions

Pour suspendre le tableau, vissez des pitons de chaque côté du cadre, à environ un tiers de la hauteur à partir du haut. Puis attachez le cordon de nylon derrière le tableau en vous assurant qu'il n'est ni trop tendu ni trop lâche pour apparaître au-dessus du cadre.

Quand votre tableau est encadré, vous pouvez soit le laisser tel quel avec la veine du bois visible, soit lui donner une finition en utilisant une ou plusieurs peintures, selon les procédés illustrés ci-dessous.

◄ *On obtient des lignes fines en passant une brosse à longs poils sur un vernis frais.*

◄ *Ce cadre a été teinté autour du pochoir et le dessin produit a été souligné d'une peinture noire.*

◄ *Effet obtenu en passant sur le dessus d'un cadre gris foncé une peinture vert menthe à l'éponge puis, au-dessus, de la peinture dorée, à l'éponge également.*

◄ *Ce dessin répétitif au pochoir a été peint en doré sur une base noire. Puis la peinture a été légèrement patinée.*

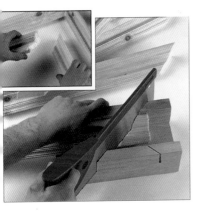

1 *Maintenez la baguette dans la boîte à onglets et sciez une de ses extrémités. Mesurez la longueur du cadre. Coupez le deuxième coin dans le sens opposé. Coupez les trois autres côtés de la même façon. Collez ensemble les extrémités (voir insert).*

2 *Mettez le cadre dans une presse de fixation. Le meilleur modèle comporte trois équerres à 90° et une quatrième ajustable avec un fil de nylon courant le long des côtés. Mettez les coins en place, serrez le fil et laissez le cadre dans la presse pendant toute une nuit.*

3 *Tracez les dimensions du passe-partout sur l'envers du carton de montage. Avec une règle métallique pour guide, découpez d'un mouvement continu, avec un cutter, la bordure extérieure. Découpez la fenêtre du passe-partout, en tenant le cutter à un angle d'environ 60° pour un bord biseauté.*

4 *Fixez la gravure sur l'envers du passe-partout. Assemblez le cadre en insérant le verre, le passe-partout avec la gravure à l'envers puis l'Isorel pour le fond. Plantez quelques pointes dans les côtés du cadre pour le consolider (voir insert).*

5 *Collez le ruban adhésif à cheval sur les bords de l'Isorel et du cadre pour éviter la poussière ou l'humidité. Utilisez un poinçon pour faire des trous dans le bois et vissez les pitons de chaque côté du cadre. Attachez le cordon de nylon et nouez-le solidement.*

6 *Le cadre est maintenant complet. Vérifiez que le cordon de nylon ne dépasse pas au-dessus du cadre et suspendez le tableau au mur.*

◀ *Pour un motif rayé, passez un*

◀ *Plusieurs vernis teintés sont superposés puis estompés pour imiter l'écaille.*

◀ *Le pochoir est l'une des techniques de peinture les plus spectaculaires.*

▶ *Cette variante de la technique du peigne produit un motif de vagues séduisant.*

▶ *Passer le chiffon sur un vernis fortement teinté encore frais crée des motifs très vivants.*

Cadres en bois et en métal

∙∙∙

Le bois est le matériau traditionnel des encadrements. Vous trouverez chez votre marchand de bois une étonnante variété de baguettes convenant à la fabrication d'un cadre. La laque, le vert-de-gris, les traînées, le pointillé et la craquelure sont des finitions séduisantes, mais vous pouvez avoir d'autres idées : d'infinies combinaisons en mosaïques, un collage de papier d'aluminium étincelant et de bijoux, des pochoirs inspirés de l'art tribal africain ou un album de découpages. N'hésitez pas à vous lancer dans la fabrication d'un cadre en métal — commencez par un cadre petit et économique et, quand vous prendrez de l'assurance, voyez plus grand.

Papier vieilli

FOURNITURES
Cadre en bois
Peinture acrylique
mate rouge
Bougie
Peinture acrylique
verte
Motifs décoratifs
en papier
Colle vinylique
Craquelure à l'eau
(deux solutions)
Peinture à l'huile
terre de Sienne

MATÉRIEL
Papier de verre
Pinceau d'artiste
Paille de fer
Scalpel
Plaque de coupe
Petits ciseaux à ongles
Serviettes en papier
Chiffon

Rien de mieux que le découpage, efficace, rapide et facile, pour raviver instantanément un simple cadre en bois. Nous sommes envahis d'images qui ne demandent qu'à être découpées (pages de magazines et de catalogues, papiers d'emballage, cartes de vœux…) et réutilisées pour faire partie de nos souvenirs personnels. Tickets, invitations, mots doux gribouillés sur le coin d'un journal peuvent trouver leur place dans cet art de chiffonnier. Avec le découpage vous pouvez être intelligent, spirituel, nostalgique ou habile — à vous de choisir. Essayez d'harmoniser les couleurs entre image et fond. Choisissez un fond travaillé qui évitera à votre motif découpé de ressortir de façon trop voyante.

Dans le découpage tout ce qui compte c'est d'être soigneux — de petits ciseaux à ongles incurvés vous permettront d'atteindre les endroits difficiles tandis qu'un scalpel fera l'affaire pour le reste. Rappelez-vous que les scalpels sont des instruments de chirurgie très coupants, protégez votre plan de travail avec une plaque de coupe ou un carton épais.

**Collerette
et craquelure**
*Ce portrait
splendidement paré
de Marie Vignon
préside avec
un sourire timide
au-dessus d'un buffet
Tudor. Le rouge
et le vert sombres
et sévères du cadre
reflètent le ton
du portrait ;
le graphisme raffiné
des tasses à café
napoléoniennes
rappelle les détails
délicats de la collerette
et du corsage.*

Décor de découpages
*Des gravures photocopiées peuvent être vieillies dans du thé ou peintes
à l'aquarelle. Des légumes découpés sur d'anciens paquets de graines
encadreront un prix décerné lors d'une exposition florale. Le découpage
offre toutes les possibilités de coordination entre image et cadre.*

Décoration du cadre

*Le plaisir du découpage réside dans sa grande facilité,
et le résultat est immédiatement visible. Vous pouvez créer
sans peine un décor très raffiné.*

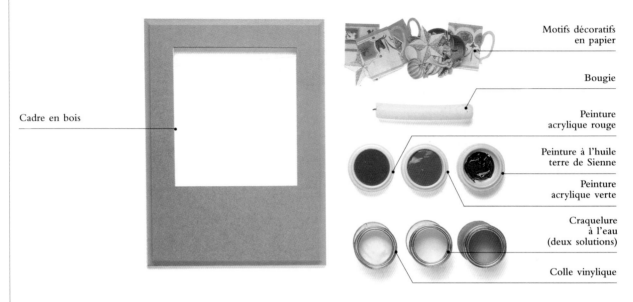

Motifs décoratifs
en papier

Bougie

Cadre en bois

Peinture
acrylique rouge

Peinture à l'huile
terre de Sienne

Peinture
acrylique verte

Craquelure
à l'eau
(deux solutions)

Colle vinylique

1 *Utilisez un bloc à poncer pour passer le papier de verre sur toute la surface rugueuse du cadre et donner au bois une légère aspérité. Mélangez la peinture acrylique rouge avec de l'eau jusqu'à obtention d'une consistance crémeuse et appliquez une couche sur l'endroit du cadre. Laissez sécher.*

2 *Frottez une bougie sur toute la surface du cadre afin qu'il soit recouvert d'une couche de cire. Puis essuyez les copeaux en excès.*

3 *Mélangez la peinture acrylique verte avec de l'eau jusqu'à obtention d'une consistance crémeuse et appliquez une couche sur l'endroit du cadre. Laissez sécher. Frottez toute la surface du cadre avec un tampon de paille de fer en effectuant un mouvement circulaire (voir insert). Cela enlèvera un peu de peinture verte et découvrira la couche de peinture rouge du dessous.*

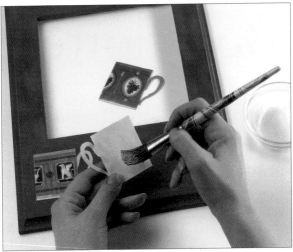

4 *Sélectionnez vos motifs pour décorer le cadre. Ceux-ci peuvent être photocopiés en couleur à la taille souhaitée ou utilisés tels quels. Passez une couche de colle vinylique diluée sur les motifs et laissez sécher avant de les découper. Cela rétrécit et consolide le papier et l'empêche de se déchirer. Découpez les motifs avec un scalpel et une plaque de coupe pour les bords droits, et une paire de petits ciseaux pour les courbes délicates.*

5 *Disposez les motifs en papier sur le cadre pour obtenir une composition à votre goût. Enduisez l'envers des motifs de colle vinylique diluée et fixez-les. Tamponnez avec une serviette en papier chiffonnée pour faire disparaître les bulles d'air et absorber l'excès de colle. Assurez-vous que les bords sont collés et laissez sécher.*

6 *Pour créer l'effet vieilli du vernis craquelé, appliquez une couche de craquelure à l'eau et laissez sécher. Pour un meilleur effet, répétez l'opération. (La craquelure se vend habituellement en deux solutions et il est conseillé de suivre les instructions du fabricant.) Puis appliquez une couche de la seconde solution. Laissez sécher. Les craquelures incolores se formeront lentement sur la surface traitée.*

7 *Avec un chiffon doux, tamponnez une grosse goutte de peinture à l'huile terre de Sienne sur la surface craquelée. Essuyez l'excès de peinture avec le chiffon et polissez le cadre. La couleur foncée restera dans les craquelures et donnera l'effet vieilli.*

Bois flotté et coquillages

FOURNITURES
Bois flotté
Corde
2 tasseaux de 4 cm
d'épaisseur
Colle vinylique
Pointes (facultatif)
Verre
Passe-partout
Carton de fond
4 tournettes et vis
2 vis de 12 mm
de long
Coquillages
Algues

MATÉRIEL
Règle
Scie
Presse
Tournevis
Cutter
Briquet

S e promener sur la plage en écoutant le bruit des vagues et ramasser des coquillages et du bois flotté est un merveilleux remède contre le stress. Le charme de ces cadres en bois flotté réside dans leur caractère à la fois rustique et marin et dans leurs couleurs sourdes qui flattent toutes sortes d'images, de la terne photographie sépia à l'aquarelle la plus délicate.

Les cadres en bois flotté conviennent parfaitement aux maisons de campagne et donnent une bouffée d'air frais aux citadins. Leur aspect délicat et discret s'harmonise facilement avec les couleurs et les tissus naturels, de même qu'ils trouvent leur place dans les intérieurs les plus sophistiqués.

Pour le créateur, la séduction des cadres en bois flotté tient à leur naturel — vous ne trouvez jamais deux pièces semblables. Leur forme doit être guidée par le matériau, et la démarche demande la même concentration que l'assemblage d'un puzzle. C'est cette particularité qui fait que chaque encadrement en bois flotté est unique.

Épave flottante
Rassemblez la plus grande variété possible de morceaux de bois flotté. Ceux qui sont lisses et arrondis, peut-être avec quelques restes de peinture, donnent une finition délicate ; les morceaux irréguliers de petite taille, comme les brindilles, sont plus rustiques. Vous avez toute liberté pour associer les deux sortes de morceaux de bois et autant de coquillages, de galets ou d'algues séchées que vous voulez.

Paysage marin
Le meilleur moment pour récolter des trésors marins parmi les galets est l'hiver, avec un vent d'est mordant, et immédiatement après une violente tempête. Au même titre que l'aquarelle, le cadre devient lui-même un souvenir.

Fabrication et décoration du cadre

C'est un plaisir de rassembler des trésors pour fabriquer
ce cadre en bois flotté qui sera le souvenir d'un bel été.

Tasseaux

Bois flotté

Coquillages
et algues

Pointes

Colle
vinylique

Corde

Passe-partout

Carton
de fond

Verre

Vis et tournettes

1 *Ramassez sur la plage des bois flottés et une corde.*
Sélectionnez les morceaux d'une taille utilisable.
Mettez-les à sécher dans un endroit chaud comme un placard
aéré ou un rebord de fenêtre ensoleillé. Cela peut prendre
quelques jours si le bois est humide.

2 *Sciez les tasseaux en quatre morceaux, deux de 20 cm*
et deux de 25. Avec la colle vinylique, assemblez
les tasseaux pour former le cadre. Laissez sécher sous presse
(voir p. 9) pendant au moins quatre heures. Les angles
du cadre peuvent être cloués par sécurité si vous préférez.

3 Collez les pièces de bois flotté sur le cadre en recouvrant la surface visible et les bords extérieurs, le haut et le bas. Choisissez des morceaux qui ont une forme intéressante et faites-les dépasser des bords du cadre. Les espaces entre les morceaux peuvent être comblés plus tard avec des coquillages ou des algues.

4 Retournez le cadre et, en travaillant sur l'envers, collez des morceaux plus petits de bois flotté sur les bords intérieurs, en couvrant seulement la moitié de l'épaisseur des tasseaux. Ces bandes étroites formeront la feuillure du cadre. Laissez sécher pendant 24 heures environ.

5 Dans le cadre toujours à l'envers, introduisez soigneusement le verre puis le passe-partout et l'image coupés à la bonne taille. Vérifiez en retournant le cadre que l'image est bien centrée. Posez le carton de fond sur l'image et maintenez-le en place en vissant une tournette au milieu de chaque côté du cadre.

6 Avec un cutter, coupez environ 20 cm de corde. Elle constituera l'anneau de suspension du cadre. Brûlez légèrement les extrémités avec un briquet pour éviter qu'elles ne s'effilochent. Puis vissez-les sur l'envers du cadre, au-dessus du carton de fond et à égale distance des bords extérieurs.

7 Retournez le cadre à l'endroit et comblez les espaces vides entre les morceaux de bois en collant des coquillages et des morceaux d'algues. Laissez sécher.

Étoiles et cœurs

FOURNITURES
Papier
Cadre de bois
Acétate cristal
Peinture acrylique
noire, verte et rouge
Poudre d'or
Colle vinylique
Vernis acrylique
à l'eau

MATÉRIEL
Crayon
Règle
Feutre résistant à l'eau
Scalpel
Pinceau à peinture
Éponge
Perforeuse
Godet
Pinceau à vernis

Aux beaux jours du mouvement hippy, quand le mot « naturel » était synonyme de bonheur, des fleurs au pochoir surgissaient sur les murs, des guirlandes de chèvrefeuille couronnaient les poubelles, des grappes de raisin jaillissaient d'innocents classeurs, et des belles-de-jour s'enroulaient autour des toilettes.

Depuis, s'inspirant des traditions de la Grande-Bretagne et de l'Amérique du Nord du XVIIIᵉ siècle, le pochoir est toujours en vogue car c'est une méthode facile et pratique de reproduction des dessins. Les dessins au pochoir répondent aux critères contemporains du décor, car ils sont à la fois légers et minutieux. Ils se prêtent aux mélanges de couleurs et aux techniques des patines décoratives. Les contrastes de tons forts ont un charme naïf tandis que les dessins pointillés aux couleurs douces s'harmonisent avec une tapisserie passée. Les couleurs et dessins des tissus ethniques peuvent être ainsi mis en valeur, le secret étant d'utiliser des couleurs rompues — une couleur lisse sur un fond uni serait trop sévère.

Patchwork de grand-mère
Les couleurs unies et les dessins géométriques des patchworks amish conviennent bien au pochoir et encadrent avec bonheur le portrait d'une ancêtre révérée qui pourrait bien avoir pratiqué elle-même le patchwork. Les amish apprécient particulièrement le noir — de préférence un peu passé — pour faire ressortir une couleur vive. Ici, le fond est d'un gris foncé terreux; un noir serait trop intense.

Trois encadrements faciles
L'astuce est de trouver un dessin que l'on puisse répéter et qui s'adapte aux coins. Si votre cadre est carré, cela simplifie les choses, autrement, il vaut mieux travailler à partir des coins et utiliser un seul motif central pour combler les vides.

Décoration du cadre

Il vaut mieux découper de petites formes ; si vous voulez intercaler un motif minuscule vous pouvez utiliser une perforeuse pour faire des cercles miniature. Vous pouvez également découper des triangles ou des carrés au scalpel.

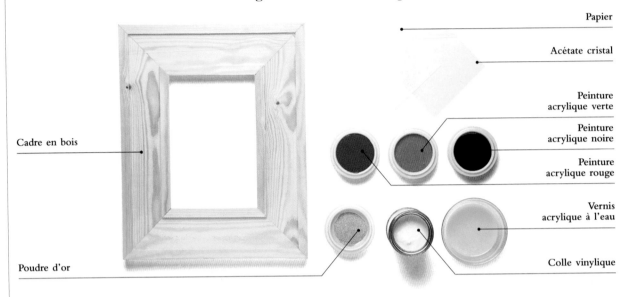

Papier

Acétate cristal

Peinture acrylique verte

Peinture acrylique noire

Peinture acrylique rouge

Vernis acrylique à l'eau

Colle vinylique

Cadre en bois

Poudre d'or

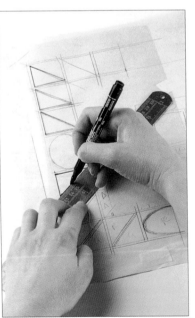

1 *En vous inspirant de livres ou de revues, ébauchez les grandes lignes d'un dessin pour votre cadre. Ici, le décor symétrique choisi comporte des triangles et des ovales adaptés aux dimensions du cadre.*

2 *Tracez le dessin sur l'acétate en utilisant un feutre résistant à l'eau. Assurez-vous que vous laissez suffisamment de « ponts » ou bandes d'acétate entre chaque dessin. Découpez les dessins soigneusement au scalpel.*

3 *Recouvrez le cadre, y compris les bords internes et externes, d'une couche de peinture acrylique noire. Laissez sécher.*

4 Positionnez le pochoir en acétate sur le cadre et maintenez-le en place. Plongez une éponge dans la peinture acrylique verte, retirez l'excès puis passez-la sur les triangles alternés et sur deux ovales opposés. Ne vous inquiétez pas si vous débordez, vous pourrez retoucher plus tard.

5 Découpez un autre pochoir pour les triangles alternés rouges. Placez l'acétate sur le cadre, en l'alignant soigneusement. Passez l'éponge de peinture acrylique rouge sur les triangles et ovales restants. Quand tout est sec, retouchez le cadre avec la peinture noire si nécessaire. Laissez sécher.

6 Faites ensuite un pochoir d'une rangée de points. Pour cela, servez-vous d'une perforeuse, méthode simple et efficace qui évite le découpage laborieux au scalpel.

7 Mélangez un peu de poudre d'or avec de la colle vinylique dans un godet. Positionnez le pochoir avec les points sur la bordure interne du cadre et passez rapidement l'éponge imbibée. Répétez l'opération sur la bordure externe du cadre. Laissez sécher.

8 Faites un pochoir d'une étoile et un autre d'un cœur pour décorer les ovales du cadre. Positionnez-les puis passez l'éponge imbibée de mélange doré sur chaque pochoir. Quand le cadre est sec, appliquez une couche de vernis.

Bois aux teintes délavées

À l'époque victorienne, curieusement, on aimait imiter la veine du bois. Pourquoi simuler les motifs du bois alors que son aspect naturel avec ses nœuds et ses irrégularités est si beau ? Sur ce cadre, la veine naturelle du bois a été accentuée par l'utilisation de plusieurs couches de peinture dans des tons transparents de bleu-vert, tandis que les nœuds du bois ont été mis en valeur avec de la cire d'abeille. Il serait difficile de trouver quelque chose de plus simple que ces quatre planches pour faire un cadre, mais le résultat est d'un raffinement discret qui se suffit à lui-même.

Essayez différentes dilutions de peinture à l'eau dans la même harmonie de couleurs ou dans des couleurs fortement contrastées. Utilisez la couleur sur une base de colorant, de teinture ou même d'encre pour obtenir d'autres variantes. Avec une technique d'une telle simplicité et des matériaux si faciles à trouver, vous pouvez expérimenter tout ce qui vous vient à l'esprit.

La mise en valeur particulière de la texture et des qualités intrinsèques du bois est accentuée ici par le choix d'un miroir ancien à la feuille d'étain. On peut acheter ce cadre avec différentes finitions mais on peut aussi tenter l'expérience de le fabriquer soi-même.

Reflets romantiques
Le miroir à la feuille d'étain, avec ses irrégularités, renvoie ici une très belle image floue et son aspect mystérieux rend les miroirs ordinaires terriblement ternes en comparaison. Des lis et un chandelier en argent noirci soulignent l'élégance de ce cadre simple.

Couleurs sourdes d'étain
*Les couleurs tendres et douces donnent facilement un air ancien.
Cela peut paraître évident mais rien ne vous empêche
de suspendre votre miroir verticalement ou horizontalement suivant
l'espace dont vous disposez.*

Fabrication et décoration du cadre

*Ce cadre en bois très sobre
tire parti de la texture et de la veine naturelle
de simples planches de pin.*

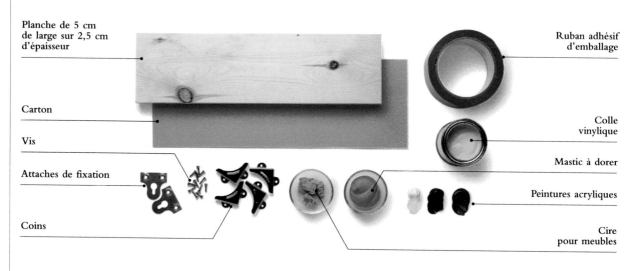

Planche de 5 cm
de large sur 2,5 cm
d'épaisseur

Ruban adhésif
d'emballage

Carton

Colle
vinylique

Vis

Mastic à dorer

Attaches de fixation

Peintures acryliques

Coins

Cire
pour meubles

1 Sciez la planche en quatre
morceaux dont deux de 42,5 cm
et deux de 35 cm. Assemblez avec
de la colle vinylique. Laissez sécher
toute une nuit avec des poids dessus.

2 Mastiquez les jointures des angles
du cadre si nécessaire.
Poncez minutieusement avec du papier
de verre à gros grain pour supprimer
toute arête rugueuse et toute
irrégularité. Avec le doigt, appliquez
un peu de cire ou de vaseline sur
les nœuds du bois en la faisant
pénétrer. Laissez sécher pendant toute
une nuit.

3 Passez sur le dessus du cadre une
couche de peinture acrylique
bleu-vert diluée à 1/3 avec de l'eau.
La peinture n'adhérera pas aux
endroits où la cire a été appliquée.
Laissez sécher puis retournez le cadre
et peignez une bande bleu-vert de
12 mm autour de la bordure interne
(voir insert). Cela évite à la couleur
claire du bois de se refléter lorsque
le miroir est inséré dans le cadre.

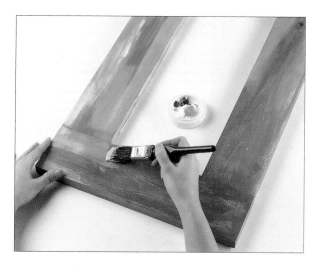

4 Lorsque la première couche de peinture est sèche, passez au pinceau une couche grossière de peinture bleu-vert plus claire avec quelques traînées blanches et laissez sécher à nouveau.

5 Poncez l'ensemble du cadre au papier de verre pour faire légèrement ressortir les couches de peinture et créer ainsi un aspect vieilli. Frottez plus vigoureusement les nœuds pour qu'ils réapparaissent.

6 Pour atténuer l'aspect vieilli, recouvrez l'ensemble du cadre d'une couche de la peinture bleu-vert d'origine diluée cette fois-ci à 1/4 avec de l'eau.

7 Lorsque la peinture est complètement sèche, retournez le cadre et positionnez le miroir dans la fenêtre centrale. Placez le carton au-dessus du miroir et fixez-le à l'aide d'un coin pour miroir vissé dans chaque angle. Recouvrez les bords du carton avec du ruban adhésif d'emballage. Pour terminer, vissez une attache de fixation de chaque côté, à environ 19 cm du haut du cadre.

Cadre bijou argenté

FOURNITURES
Carton épais
Ruban adhésif double face
Image
Acétate cristal
Papier d'aluminium
Cabochons de verre
Perles de verre
Ficelle
Superglue

MATÉRIEL
Crayon
Règle métallique
Scalpel
Stylo à bille
Ciseaux
Poinçon

La fabrication de ce cadre spectaculaire et rigolo est parfaite pour occuper des enfants grognons lors d'un après-midi pluvieux — si un adulte peut superviser le maniement du scalpel, de la colle et du poinçon. Le matériel est bon marché et facile à trouver, et la technique se prête aussi bien à des gribouillages désordonnés d'enfants qu'à des ornements celtiques minutieux dessinés par une main experte.

Le cadre présenté ici est minuscule, juste assez grand pour contenir un petit cœur rose vif pour la Saint-Valentin. Les grosses perles de verre givré et les cabochons lui donnent une note de couleur gaie sans parler du raffinement qu'ils apportent à l'argent et au verre en contraste avec la ficelle grossière qui sert à le suspendre. La même méthode convient parfaitement pour fabriquer un cadre plus grand ou d'une autre forme : cœur, losange, cercle… Si vous découpez une fenêtre ni carrée ni rectangulaire, il vous faudra utiliser une bande supplémentaire de papier d'aluminium pour recouvrir le carton que l'on verra à travers.

Tout en papier d'aluminium
Ce petit cadre est sans prétention. Rapide et facile à réaliser, il rappelle les objets en fer-blanc repoussé d'Amérique centrale et s'harmonise avec les couleurs vives et les tissus ethniques.

Cœurs à tout vent
Ces deux cadres, légèrement plus solennels, sont réalisés avec du papier d'aluminium plus épais mais plus résistant. Le cœur suspendu a été fabriqué en recouvrant de papier d'aluminium une forme en carton.

Fabrication et décoration du cadre

*Rapide, facile et amusant à faire, ce cadre est idéal
pour exposer vos souvenirs préférés.*

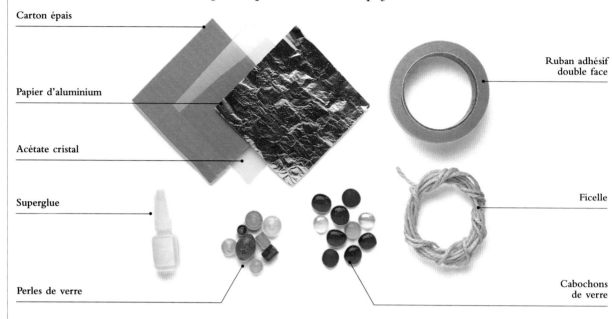

Carton épais

Papier d'aluminium

Acétate cristal

Superglue

Perles de verre

Ruban adhésif
double face

Ficelle

Cabochons
de verre

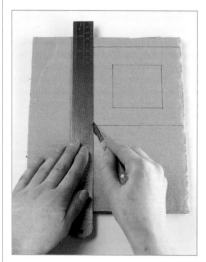

1 *Dessinez deux carrés sur un
morceau de carton et découpez-les
à l'aide d'une règle métallique
et d'un scalpel. Découpez un carré
intérieur plus petit dans l'un
des deux carrés pour former la fenêtre
du cadre. Ce carton sera le dessus
du cadre.*

2 *Avec du ruban adhésif double face,
collez une image au milieu
du carton de fond puis une feuille
d'acétate cristal dessus, à 12 mm
des bords du carton.*

3 *Avec des ciseaux, découpez un
carré de papier d'aluminium
dépassant de 5 cm les carrés de carton.
Avec un stylo à bille, faites des dessins
sur la surface de papier d'aluminium
qui recouvrira le cadre, pour créer
un motif en relief sur l'envers
du papier. Découpez une fenêtre
dans le papier d'aluminium,
plus petite de 3 mm que la fenêtre
en carton. Entaillez chaque angle en
diagonale (voir insert).*

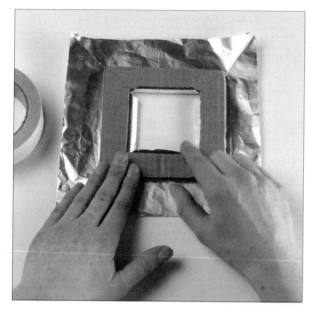

4 *Avec l'adhésif double face, fixez le papier d'aluminium sur le morceau de carton du dessus* en positionnant les fenêtres afin qu'elles coïncident exactement. Repliez les bords intérieurs du papier d'aluminium dans la fenêtre du carton du dessus.

5 *À l'aide d'adhésif double face, fixez le carton de fond, sur lequel est collée l'image, à l'envers du carton* du dessus. Collez des morceaux de scotch sur les bords du papier d'aluminium puis repliez-les sur le cadre en soignant les coins.

6 *Retournez le cadre à l'endroit et, avec un poinçon, percez soigneusement un trou dans toute l'épaisseur* du cadre. Pour suspendre le cadre, faites une boucle de ficelle sur laquelle vous enfilerez deux perles de verre. Enfilez une extrémité de la ficelle dans le trou préparé, de l'avant vers l'arrière. Nouez les extrémités et collez-les avec de la superglue.

7 *Pour compléter la décoration du cadre, collez avec de la superglue des cabochons de verre de couleurs vives* à chaque angle. Laissez sécher.

Touches d'or

FOURNITURES
Moulures en bois
Colle vinylique
Mastic à dorer
Teinture noire pour
bois
Carton de montage
Peinture à l'huile
dorée
Peinture acrylique
blanche
Carton
Carton de fond
Pointes
Ruban adhésif
d'emballage
2 pitons et cordon

MATÉRIEL
Boîte à onglets
Scie à tenon
Presse
Papier de verre
Pinceau à bâtiment
Scalpel
Crayon
Pinceau d'artiste
Pinceau rond
Paille de fer
Chiffon

C e cadre élégant est idéal pour vos premiers essais. Avec cette méthode, vous pouvez réaliser des cadres sophistiqués ou rustiques selon vos goûts. Si vous êtes fasciné par la variété des baguettes vendues chez les marchands de bois, et que vous cherchez désespérément une façon d'utiliser ces trésors, votre problème est résolu. Il vous suffit d'un pot de colle et de quelques petites longueurs de baguettes pour vous entraîner. Vous pourrez utiliser différentes moulures et teintures pour bois. La précision dans la coupe et l'assemblage est importante. Si vous pouvez disposer de l'outillage spécifique aux encadreurs, vous n'aurez pas besoin de grandes quantités de mastic et votre cadre terminé aura l'apparence d'un cadre de professionnel.

Essayez d'associer différentes teintures pour bois et finitions acryliques pour créer de subtils voiles de couleurs en harmonie avec votre décor ou avec les gravures que vous voulez encadrer. Ici, les veinures délicates et les effets moirés du bois qui apparaissent à travers la couleur, donnent à la surface une richesse certaine sans être excessive.

Éclairage
à la bougie
*La lumière chaleureuse
et vacillante
des bougies donne vie
aux médaillons
et aux paillettes d'or
de ce cadre simple
et fait ressortir la veine
du bois.*

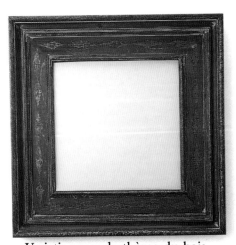

Variations sur le thème du bois
*En utilisant la même technique de base mais en faisant varier
l'effet subtil des couleurs et les proportions,
vous créerez un ensemble harmonieux de cadres.*

Fabrication et décoration du cadre

*Simple à réaliser et d'un effet surprenant, ce cadre
au décor pointilliste a un éclat mystérieux qui s'adapte
à différentes baguettes et couleurs.*

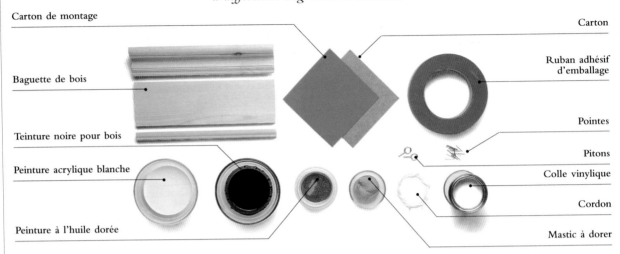

Carton de montage

Carton

Baguette de bois

Ruban adhésif
d'emballage

Teinture noire pour bois

Pointes

Peinture acrylique blanche

Pitons

Colle vinylique

Cordon

Peinture à l'huile dorée

Mastic à dorer

1 *Faites un cadre simple avec des baguettes de bois
(voir pp. 8-9). Collez une baguette extérieure plus large
et une baguette intérieure plus étroite en utilisant différentes
moulures pour créer un cadre en trois parties. Laissez sécher
dans une presse pendant toute une nuit.*

2 *Mastiquez les jointures puis poncez le cadre au papier
de verre pour adoucir les rugosités. Passez une couche
de teinture noire en donnant de larges coups de pinceau
pour recouvrir la surface rapidement.*

3 *Faites un pochoir simple en découpant au scalpel un cercle dans un morceau de carton de montage. Le cercle devra être suffisamment petit pour tenir dans la largeur de la baguette centrale du cadre. Dessinez au pochoir des cercles à intervalles réguliers tout autour du cadre en appuyant bien avec votre crayon pour graver le bois.*

4 *Avec un pinceau d'artiste, recouvrez soigneusement de peinture dorée les cercles dessinés au pochoir. La peinture s'accumulera dans la bordure extérieure gravée, renforçant l'effet décoratif du motif au pochoir.*

5 *Plongez un pinceau rond ou une éponge dans la peinture dorée, tamponnez l'excès de peinture sur un morceau de carton puis tamponnez au hasard le pinceau sur le cadre pour créer un motif décoratif irrégulier. Laissez sécher.*

6 *Pour adoucir l'opposition noir-doré, appliquez une couche de peinture acrylique blanche sur le dessus du cadre et laissez sécher.*

7 *Frottez la surface du cadre avec une paille de fer, lissez avec un chiffon doux pour faire ressortir le doré. Insérez soit le miroir, soit le passe-partout, l'image et le carton de fond à l'arrière du cadre, en maintenant le tout avec des pointes et l'adhésif (voir p. 9). Terminez en fixant les pitons et le cordon au dos du cadre. (voir p. 9).*

Traînée brillante

FOURNITURES
Panneau M.D.F.
de 6 mm d'épaisseur
pour le fond
Panneau M.D.F.
de 16 mm d'épaisseur
pour les côtés
Colle vinylique
Miroir
Eau
Smaltes argentés
Tesselles de verre
dépoli
Ciment-colle
pour carreaux
Attaches de fixation
pour miroir et vis

MATÉRIEL
Règle
Scie à tenon
Pinceau à bâtiment
Presse
Feutre
Scalpel
Lunettes protectrices
Pince à tailler
la mosaïque
Gants en caoutchouc
Raclette
en caoutchouc
Chiffon
Bol
Tournevis

La mosaïque paraît une technique inacessible, mais vous découvrirez qu'il suffit de coller des tesselles, des morceaux de miroir ou de céramique, puis de les recouvrir d'un ciment lissé. C'est une invention moderne peu orthodoxe mais beaucoup plus rapide et plus simple que la méthode traditionnelle directe (les tesselles sont incrustées une à une dans du mortier) ou indirecte (les tesselles sont posées à l'envers sur un papier fort puis cimentées par panneaux).

Une fois ce procédé compris, vous aurez peut-être envie de piller le répertoire romain de ses bordures géométriques et de ses dessins forts et nerveux, pour les reproduire sur vos cadres. Les Romains avaient une approche tout à fait impressionniste des couleurs et un sens harmonieux des matériaux : verroterie, améthyste, nacre étaient associées à des carrés de verre colorés ou dorés (des smaltes). Si vous préférez une source d'inspiration plus contemporaine, faites un voyage à Barcelone pour étudier l'œuvre étonnante d'Antonio Gaudi.

Voilà, au moins, un moyen de tirer profit des accidents de vaisselle.

Allure d'escargot
Pour ceux qui ont du mal à sauter de leur lit le matin, la contemplation d'un escargot serpentant et laissant une traînée argentée brillante peut être d'un grand réconfort lors de leurs ablutions matinales.
Un dégradé de verts créera un fond réussi ; plus les nuances sont riches pour une même couleur, plus l'effet final est vivant.

Gastéropode en liberté
Fort de l'obstination propre aux escargots, ce spécimen s'est échappé de son cadre et part à l'aventure. Celui-ci a été peint sur un carreau selon la technique raku.

Fabrication et décoration du cadre

Rien de plus facile que de faire un dessin en assemblant des morceaux grâce à cette méthode peu orthodoxe. Lorsque vous aurez pris confiance en vous, vous voudrez sans doute essayer avec des galets, des coquillages, de la verroterie ou des morceaux de porcelaine cassée.

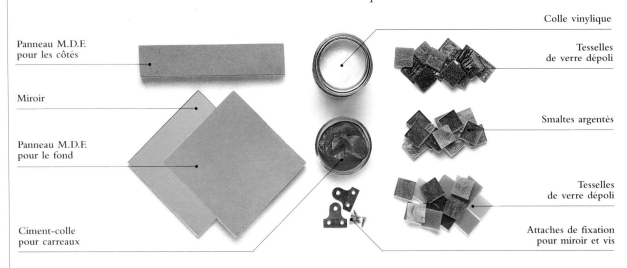

Panneau M.D.F. pour les côtés

Miroir

Panneau M.D.F. pour le fond

Ciment-colle pour carreaux

Colle vinylique

Tesselles de verre dépoli

Smaltes argentés

Tesselles de verre dépoli

Attaches de fixation pour miroir et vis

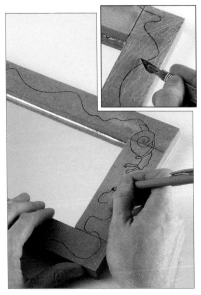

1 *Construisez un cadre simple avec un panneau de fibre de densité moyenne (M.D.F.). Découpez un fond rectangulaire avec une scie à tenon ; sciez quatre morceaux pour les côtés. Avec de la colle vinylique, collez à angle droit deux côtés sur le fond, puis le miroir, puis les deux côtés restants. Mettez le cadre sous presse et laissez-le sécher toute une nuit.*

2 *Consolidez le cadre avec un mélange moitié colle vinylique et moitié eau ; laissez sécher. Dessinez un motif sur le cadre avec un feutre. Ici, l'artiste a représenté un escargot dont la traînée serpente autour du cadre. Choisissez un dessin aux couleurs contrastées. Rayez le cadre avec un scalpel ou un couteau pointu (voir insert) pour créer des aspérités qui aident la mosaïque à adhérer.*

3 *Avec une pince à tailler la mosaïque, coupez les smaltes argentés en petits morceaux. Ils seront utilisés pour la traînée de l'escargot. Portez toujours des lunettes de protection lorsque vous utilisez une pince à mosaïque, car des fragments peuvent être projetés.*

4 *Posez un cordon de colle vinylique sur la traînée. Déposez des morceaux de smaltes sur la colle en aboutant les morceaux les uns aux autres. Utilisez la pince à tailler la mosaïque pour concasser les smaltes, si vous avez besoin de plus petits morceaux.*

5 *Composez l'escargot en utilisant un mélange de tesselles jaunes, orange et brunes. Commencez par le centre de la coquille, continuez en spirale. Terminez par la tête et les antennes.*

6 *Posez de la colle vinylique sur le bord interne du cadre, puis déposez des tesselles de différents verts de façon qu'elles dépassent légèrement au-dessus de la bordure. Cela permettra aux tesselles qui doivent être appliquées sur le dessus du cadre de s'abouter contre elles, réalisant ainsi une bordure soignée.*

7 *Collez de la même façon des tesselles sur la bordure extérieure du cadre. Puis composez le fond vert en suivant la courbe de la traînée de l'escargot pour créer une impression de mouvement. Utilisez la pince à mosaïque pour donner aux tesselles la forme voulue.*

8 *Laissez sécher la mosaïque terminée pendant une journée. Mélangez le ciment-colle jusqu'à obtenir la consistance d'une boue ou utilisez du ciment-colle tout prêt. Portez des gants de caoutchouc et utilisez une raclette flexible ; appliquez généreusement de l'enduit sur tout le cadre. Nettoyez l'excédent à l'aide d'un chiffon trempé dans de l'eau froide et essoré (voir insert). L'enduit se déposera dans les interstices entre les tesselles. Laissez sécher puis fixez les attaches pour miroir au dos (voir p. 9).*

Cadre rustique aux coqs

FOURNITURES
Papier-calque
Bois flotté de 25 mm
d'épaisseur
Contre-plaqué
de 9 mm d'épaisseur
Colle à bois
Semences
Peintures à l'huile
Térébenthine
Cuivre
Pointes
Fil de fer fin
Miroir
Carton
2 attaches de fixation
pour miroir et vis

MATÉRIEL
Crayon
Scie à archet
Marteau
Pinceau à bâtiment
Pinceau d'artiste
Cisailles à métaux
Scie
électromagnétique
Tournevis

I l n'y a aucune raison pour que les cadres soient toujours sérieux. Cette paire de coqs a un côté délibérément humoristique. Le cadre est soigneusement construit et les chandeliers, dotés de fiers coqs, peuvent glisser d'un côté à l'autre. Pourtant, par esprit de contradiction, ils sont disposés de telle sorte que la lumière des bougies ne se reflète pas dans le miroir. Vous pouvez cependant allonger la fente à la base du cadre si vous souhaitez vraiment utiliser le chandelier selon la tradition — pour maximaliser la puissance des bougies.

Malgré son air désinvolte, ce cadre est assez difficile à réaliser ; la précision est essentielle dans la coupe et l'assemblage du bois et du cuivre. Cependant, vous serez récompensé car vous obtiendrez un miroir amusant, rustique et patiné, qui vous donnera l'envie de siffler un air typiquement américain !

**Histoire
des deux coqs**
*Bec contre bec,
caroncules exubérantes,
ces deux oiseaux
bucoliques, vaillants
chandeliers,
se dédoublent sur
ce cadre plein d'esprit.*

Miroir métallique
*Pour une variante plus high-tech, la confrontation gloussante
prend place devant un élégant miroir néo-palladien
orné de piliers en métal ajouré.*

Fabrication et décoration du cadre

*Du bois flotté et des coqs en contre-plaqué
pour ce miroir-chandelier qui est l'un des cadres
les plus compliqués à réaliser.
Assurez-vous que le bois est découpé avec précision
afin que tous les éléments puissent s'emboîter facilement.*

Cuivre

Carton

Contre-plaqué
de 9 mm d'épaisseur

Semences

Attaches de fixation
pour miroir et vis

Pointes

Fil de fer fin

Peintures à l'huile

Colle à bois

Bois flotté
de 25 mm
d'épaisseur

Térébenthine

1 *Photocopiez les gabarits du cadre (voir p. 90) à la taille voulue. Tracez les gabarits A à C sur le bois flotté et les gabarits D à G sur le contre-plaqué. Découpez-les à l'aide d'une scie à archet. Vous devez avoir 12 morceaux en tout.*

2 *Avec de la colle à bois, collez les deux montants (C) dans les rainures de la base du cadre (B). Collez le toit (A) sur le haut des montants, en vous assurant qu'ils sont tous les deux à la même hauteur.*

3 *Faites les coulisseaux pour les coqs. Collez puis clouez avec des semences la pièce G avec la pièce F à angle droit. Collez puis clouez avec des semences le coq avec la pièce F de sorte qu'il soit à 3 cm de la pièce G. Faites de même pour l'autre coulisseau.*

4 *Insérez les coulisseaux dans la base du cadre afin que la pièce G s'emboîte dans la fente. Collez et fixez avec des semences la pièce E sur la pièce G et sur le côté du coq pour maintenir le coulisseau en place. Recommencez pour fixer le second coulisseau sur la base.*

5 *Peignez la base, les montants et le toit du miroir, à l'endroit et à l'envers, avec de la peinture à l'huile bleue diluée à 1/20 avec de la térébenthine et laissez sécher. Peignez les coqs avec de la peinture à l'huile orange diluée et laissez à nouveau sécher avant de continuer à peindre.*

6 *Avec un pinceau d'artiste et de la peinture à l'huile, faites des pointillés en mélangeant de l'orange, du rouge cadmium, de l'ocre jaune, du jaune citron et du blanc sur les deux coqs. Puis peignez les yeux et le bec sur la tête des coqs.*

7 *Pour chaque bougeoir, photocopiez les gabarits H et I (voir p. 90) à la taille voulue et tracez-les sur le cuivre. À l'aide de cisailles à métaux et d'une scie électromagnétique, découpez chaque forme. Faites des trous comme indiqué avec un clou et un marteau. Pliez la pièce H pour en faire un cône que vous placez sur la pièce I. Passez du fil de fer fin dans les trous pour fixer les deux pièces ensemble (voir insert).*

8 *Retournez les chandeliers dans le bon sens et clouez-les en place sur les coqs. Insérez le miroir sur l'envers du cadre, ajoutez le carton de fond coupé légèrement plus grand que le miroir et fixez-le avec des pointes (voir p. 9). Pour terminer, posez les attaches de fixation (voir p. 9).*

Chandelier seigneurial

FOURNITURES
Feuille de métal
Bougie
Miroir
Cire pour meubles
Patine pour métaux

MATÉRIEL
Papier-calque
Crayon
Cisailles à métaux
Lime
Papier nautique fin
Billot de bois
Marteau
Poinçon
Pince à souder
Pince plate
Pince ronde
Chiffon
Paille de fer

Tout le monde n'a pas une pince à souder cachée au fond d'un placard. Mais si vous en achetez une, vous pourrez effectuer des réparations miraculeuses, ou bien vous pourrez fabriquer un ou deux de ces curieux cadres.

Le métal effraie à tort — une fois que vous aurez attrapé le coup de main et appris à l'utiliser en toute sécurité, vous trouverez qu'il ne pose pas plus de problèmes que le carton et qu'il est beaucoup plus maniable et élégant. Rien n'est plus spectaculaire que le reflet du métal noir. C'est un matériau magnifique à découvrir. Vous pouvez le couper, le fondre, le mettre en forme, lui donner de la matière, le percer, et il se laissera faire docilement. Vous pouvez alors le noircir, le polir ou tout simplement le laisser tel quel.

Si cela vous inquiète de vous embarquer dans l'emploi de feuilles de métal et de l'équipement nécessaire, vous pouvez tenter l'expérience avec pour tout matériel une paire de cisailles à métaux et une ou deux boîtes de conserve. Essayez d'embellir un cadre en bois ordinaire avec quelques morceaux de fer posés à plat et cloués. Fait avec soin, cet objet de récupération, donc économe, est étonnamment beau.

Faussement masculin

Ce cadre serait parfait dans le hall de votre château gothique, si ce n'était sa taille minuscule — 18 cm sur 11 cm. Tout petit et minutieusement assemblé, ce cadre est l'occasion rêvée de vous lancer dans la ferronnerie élémentaire.

Soleil, lune et dauphins
*Ce dauphin vigoureux bondira éternellement dans les vagues,
sous un corps céleste multiple. Et pour ceux qui pensent
que les miroirs doivent être cachés, on peut y ajouter
des portes et des piques pour rappeler les dangers de la vanité.*

Fabrication et décoration du cadre

*Ce cadre en métal noirci martelé et travaillé, la flamme
d'une bougie vacillante se reflétant dans son miroir,
peut aussi bien avoir un effet théâtral
que donner à votre maison un air seigneurial.*

Feuille de métal

Cire pour meubles

Patine pour métaux

Bougie

1 *Photocopiez les gabarits du cadre
(voir p. 91) à la taille voulue
et tracez-les sur une feuille de métal.
Découpez tous les éléments à l'aide
de cisailles à métaux. Limez
les bords, puis poncez-les avec
du papier nautique fin humide puis
avec du papier nautique fin sec.*

2 *Placez un angle (C) sur un billot
de bois et faites un motif clouté
avec un poinçon que vous martelez
dans le métal à intervalles réguliers.
Répétez l'opération sur les trois autres
angles.*

3 *Soudez ensemble les quatre côtés
(A et B) pour former le cadre
de base. Soudez sur le cadre les quatre
angles avec les motifs cloutés en relief
(voir insert).*

4 Soudez les cinq piques (E) sur le demi-cercle (D) en vous assurant qu'elles sont régulièrement espacées. Cela formera la base du chandelier à l'avant du miroir.

5 À l'aide d'une pince plate, pliez à angle droit la petite bande du chandelier (F). Puis recourbez-la autour d'une bougie en utilisant une pince ronde. Ceci forme la partie supérieure du chandelier. Assurez-vous qu'il y a un espace d'au moins 3 mm pour tenir la bougie suffisamment éloignée du miroir. Avec la pince ronde, recourbez les piques de la base du chandelier vers le bas. Soudez le chandelier au centre de la base du cadre (voir insert).

6 Avec la pince plate, pliez soigneusement en forme les quatre coins arrière (G) du miroir. Ceux-ci maintiendront le miroir en place sur l'envers du cadre.

7 Placez le miroir à l'envers sur le cadre retourné, en vous assurant qu'il dépasse de 12 mm tout autour, et soudez les coins en position pour renforcer les angles du miroir. Puis pliez la pièce (H) pour lui donner la forme d'un crochet de suspension et soudez-la en place, en haut, au centre de l'envers du cadre.

8 Passez un chiffon doux imprégné d'un peu de cire sur les côtés du cadre terminé sauf sur les angles, pour le faire briller. Frottez avec un chiffon doux.

9 Toujours avec un chiffon doux, passez de la patine pour métaux sur les angles du cadre. Frottez-les ensuite à la paille de fer et au papier nautique fin humide puis au papier nautique fin sec pour souligner l'effet décoratif du motif clouté en relief.

Quelques idées

Les cadres en bois et en métal peuvent être agrémentés d'une grande variété d'effets décoratifs. Comme on vient de le voir, vous pouvez faire un cadre à partir de n'importe quel type de bois et le laisser brut, le peindre, le décorer de mosaïques ou le recouvrir de coquillages, de colifichets, de fer-blanc, de feuilles de cuivre, de ficelle, de bâtons de cannelle, de clous en métal ou de tout ce qui vous passe par la tête. Et surtout, osez et amusez-vous !

▼ Minuscule cadre-boîte
Ce cadre-boîte mesure 12,5 cm de côté et est orné de dessins au crayon noir, aux crayons de couleur, aux feutres et à la peinture, dessins coordonnés au personnage représenté sur le carreau encadré.

▲ Bois sur bois
Ici l'effet est obtenu par la différence de texture entre le morceau de bois flotté malmené par la mer et le fond en bois flotté lissé au papier de verre. L'échassier en bois sculpté est fixé au cadre par ses fines pattes en métal.

▶ Peinture et pigment
Construit à partir de morceaux de vieux bois, frottés avec du pigment or puis vernis, ce cadre rappelle par ses couleurs les collages de poupées mexicaines.

◀ Orné de lettres
Ce cadre-boîte en bois est métamorphosé par une couche de gesso puis une peinture acrylique. Il est ensuite décoré de lettres gravées et de dessins au crayon.

ELYSIUM

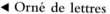

◄ Délice kitsch

Ce cadre en aggloméré est d'abord recouvert de papier doré froissé puis décoré d'une collection hétéroclite : coquillages, boutons, paillettes et morceaux de verre. Des clous de tapissier dorés entourent le miroir en forme de cœur.

► Arche colorée

Ce cadre en forme d'arche est décoré de morceaux de porcelaine cassée dans les tonalités de vert, de bleu et de violet, maintenus ensemble par un enduit bleuté.

et et simple

adre-boîte brut est rement construit avec ois flotté et n'a reçu aucun traitement qu'un ponçage tieux à la main avec apier de verre afin tenir une finition ultra- ; il convient parfaitement peinture minimaliste encadre. Ses lignes nettes nples sont très équilibrées.

▼ En mer... à la dérive

Un seul morceau de bois flotté aux bords irréguliers, recouvert d'une peinture à l'eau, a été découpé pour faire ce cadre simple mais spectaculaire. Il permet d'exposer une tapisserie à thème marin.

► Échappée de soleil en fil de fer

Un soleil délicat constitué de six rayons soudés à un cercle, le tout en fil de fer. Chaque rayon est décoré en son centre d'une grosse goutte en verre attachée par un fil de fer.

► Mosaïque d'ardoise

Ce cadre en mosaïque grossière est fabriqué avec un assortiment de smaltes, de verre dépoli, de vaisselle et de carreaux cassés, ainsi que de gros morceaux d'ardoise. Les éléments sont fixés à un cadre en bois avec de la colle à carrelage pour les morceaux de céramique et de la colle au silicone pour l'ardoise.

◀ **Cadre en bois aux poissons**
*D'abord teinté avec de la peinture
à l'eau, puis décoré d'étoiles et
de spirales en colle vinylique,
morceaux de papier d'aluminium,
papiers de bonbons, cellophane
et paillettes, il est ensuite
rehaussé de peinture acrylique
et de peinture dorée.*

▶ **Miroir Saint-Valentin**
*Ce cadre amusant fait en
panneau de fibre de densité
moyenne (M.D.F.) peint
à la main, et décoré de cœurs
et de cercles en tissu aux
couleurs vives, peut s'offrir
pour la Saint-Valentin.*

▼ **Cadre en métal martelé**
*Fabriqué à partir de fragments de boîtes
de conserve martelés et cloués tout autour
d'un cadre en bois. Le fer-blanc a ensuite
été patiné au chalumeau.*

▲ **Scène au pochoir**
*Simple à exécuter, ce cadre est très réussi grâce
à l'utilisation de différentes textures de peinture et
grâce aux motifs au pochoir représentant d'étranges
silhouettes d'oiseaux sur un fond sombre.*

Cadres en papier et en tissu

··

Vous n'avez besoin ni de marteau
ni de clou pour fabriquer
un joli cadre ; du carton, du tissu,
du papier et de la colle peuvent
faire l'affaire. Mais donnez libre cours à votre
créativité ! Cette partie est consacrée aux
qualités décoratives du papier et du tissu
en matière d'encadrement. Le papier mâché
est bon marché et constitue une base idéale
pour les peintures fantaisie et les motifs
en relief ; un patchwork fait avec des chutes
de beaux tissus sera assurément mis en valeur
sur un cadre. C'est l'occasion de créer un
encadrement digne de la palette d'un peintre
ou des fantasmes de soie, de satin, de velours
et de ganse d'un couturier. Avec bon goût ou
avec excès, soyez prêt à coudre et à coller.

Poissons et fioritures

FOURNITURES
Contre-plaqué
de 12 mm d'épaisseur
Contre-plaqué
de 6 mm d'épaisseur
Colle vinylique
Semences
Papier
Eau
Peinture à l'huile
mate
Feuille argent
adhésive
Vernis acrylique
brillant de décorateur
Miroir
Carton
Pointes
Ruban adhésif
d'emballage
2 attaches de fixation
pour cadre

MATÉRIEL
Crayon
Règle
Scie à archet
Papier de verre
Marteau
Ciseaux
Grand bol
Mixeur
Spatule (facultatif)
Pinceau à bâtiment
Pinceau à vernis
Tournevis

D'une simplicité surprenante, le papier mâché donne du caractère à un contre-plaqué ordinaire et enrichit une surface plate de motifs en relief. La pâte à papier, que l'on peut mouler en n'importe quelle forme, a permis de créer, sur ce cadre, des poissons et des fioritures qui répandent un parfum de bord de mer. Vous pouvez faire un encadrement de miroir avec des cœurs et des flèches, ou avec des signes astrologiques associés à des soleils, des étoiles et des lunes. Quel que soit le dessin que vous choisissez, souvenez-vous qu'il doit être simple — l'effet des formes moulées à la main rehaussées de feuille argent adhésive est audacieux et spectaculaire. Avec des formes plus compliquées, l'effet serait moins frappant et vous vous prépareriez bien des ennuis.

On ne peut mélanger la pâte à papier et la colle qu'à la main et il faut créer les formes et les lisser avec des doigts légèrement humides, ce qui n'est pas l'idéal si vous n'aimez pas avoir les mains collantes. Mais le bruit de succion de la pâte à papier entre les doigts vous rappellera sans doute des souvenirs d'enfance et c'est aussi apaisant de fabriquer de la pâte à papier que de pétrir une pâte à gâteau.

Idéal pour le signe des poissons
Un encadrement de miroir tonique et structuré, parfaitement à sa place dans une salle de bains fraîche et ordonnée — il vaut mieux le fermer hermétiquement pour le protéger de la vapeur ou du plongeon accidentel dans le lavabo. Un cadeau idéal pour un ami du signe des poissons.

Motifs mayas
Ces formes simples, probablement inspirées par quelques découvertes archéologiques, trahissent la main de l'artiste. À une époque de production de masse standardisée, de telles touches personnelles sont précieuses.

Fabrication et décoration du cadre

*D'un turquoise vivifiant, décoré de hiéroglyphes
et de poissons argentés, ce cadre a tout le panache
du style mexicain.*

Contre-plaqué épais

Contre-plaqué mince

Carton

Ruban adhésif
d'emballage

Vernis acrylique
brillant
de décorateur

Colle vinylique

Peinture
à l'huile mate

Feuille argent
adhésive

Semences et pointes

Attaches
de fixation

Papier en lanières

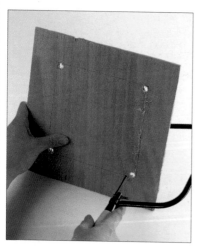  

1 *Avec un crayon et une règle, tracez un carré sur le contre-plaqué épais. Découpez-le à l'aide d'une scie à archet. Découpez une fenêtre au milieu. Poncez les bordures au papier de verre. Découpez un carré de contre-plaqué plus mince de 5 cm plus large que la fenêtre du premier morceau. Faites-y une fenêtre, de 2 cm plus petite que la première.*

2 *Avec de la colle vinylique, collez le plus petit carré en contre-plaqué mince sur le centre du grand carré — le petit carré doit dépasser de 1 cm par rapport à la fenêtre du grand carré : c'est la feuillure pour maintenir le miroir. Pour plus de sécurité, clouez le petit carré sur le grand en utilisant au moins trois semences sur chaque côté. Laissez sécher.*

3 *Pour la pâte à papier, coupez le papier en lanières que vous laissez tremper dans l'eau pendant toute une nuit. Faites-les bouillir pendant 20 mn, puis passez le papier imbibé au mixeur et essorez-le. Ajoutez la colle dans la proportion de 2 tasses pour un grand bol de pâte à papier. Mélangez bien avec vos doigts pour rendre la pâte homogène (voir insert).*

4 Posez le cadre avec la double façade à l'endroit et étalez une fine couche de colle vinylique. Recouvrez toute la surface du cadre avec du papier mâché en le lissant à la main ou avec une spatule. Laissez sécher pendant 48 heures jusqu'à ce que le papier mâché soit ferme au toucher.

5 Pour décorer la base de papier mâché, étalez d'abord une fine couche de colle vinylique sur toute la surface à décorer puis ajoutez des formes faites en papier mâché humide — ici des poissons et des fioritures — en les moulant et en les lissant en place avec vos doigts. Laissez le cadre sécher complètement pendant 48 heures.

6 Peignez l'ensemble du cadre, endroit et envers, avec une couche de peinture turquoise. Laissez la peinture sécher pendant au moins deux heures.

7 Appliquez de la feuille argent adhésive sur les motifs en relief. Pour cela, étalez de la colle vinylique, puis découpez la feuille argent à la taille et pressez doucement, en lissant avec le doigt. Lorsqu'ils sont secs, recouvrez les décors argentés avec une couche de vernis acrylique brillant.

8 Lorsque le vernis est sec, insérez un miroir découpé à la bonne taille sur l'envers du cadre. Posez dessus le carton de fond et clouez (voir p. 9). Collez du ruban adhésif d'emballage sur les bords du carton pour éviter la poussière et la moisissure. Pour terminer, vissez une attache de fixation à l'arrière du cadre, sur chacun des côtés.

Tapisserie folklorique

FOURNITURES
Laine à tapisserie :
2 écheveaux écrus
1 écheveau rouge
4 écheveaux bleus
1 canevas unifil,
maille bloquée,
12 points
de 29 x 33 cm
Carton épais
Papier-cache adhésif
Carton mince

MATÉRIEL
Aiguille à tapisserie
Ciseaux
Pattemouille
Fer à repasser
à vapeur
Crayon
Scalpel
Règle métallique
Pinces à linge

La tapisserie est un passe-temps en vogue chez les stars de la scène, de l'écran et des magazines ; c'est un travail tranquille qui calme et apaise la tension nerveuse.
Les dessins géométriques suggérés par le quadrillage du canevas s'adaptent étonnamment bien aux cadres. Si cela vous tente, vous pouvez probablement être très créatif à partir de dessins faits à l'ordinateur et concevoir un dessin personnalisé en associant vos initiales à un motif de kimono japonais, par exemple. À défaut, vous pouvez chiper quelques feuilles de papier quadrillé dans les cahiers de classe de vos enfants et passer des heures agréables à dessiner des motifs avec des crayons de couleur jusqu'à ce que vous obteniez un dessin qui vous plaise. Les vieux patchworks sont une bonne source d'inspiration ; rayures, damiers, losanges ombrés ou cubes conviendront parfaitement aux bordures d'un cadre.

Pour les couleurs, vous avez l'embarras du choix. Allez dans n'importe quelle mercerie et vous trouverez des murs recouverts d'écheveaux de laine à tapisserie dans de somptueux dégradés de nuances.

Souvenirs campagnards
Tableau nostalgique. Difficile d'imaginer de nos jours une femme comme cette élégante Française faisant du lèche-vitrines rue de Rivoli. Le motif simple de ce cadre en tapisserie, qui rappelle le point de croix populaire dans toute l'Europe, s'accorde incontestablement bien avec la broderie fine du costume.

Et toujours tricolore
Les mêmes trois couleurs ont un effet tout à fait différent lorsque l'accent est mis sur l'une d'entre elles. Le même dessin lorsque le rouge prédomine est nettement plus marqué. Le dessin recherché du cadre carré lui donne un aspect plus délicat.

Fabrication du cadre

La plupart des gens cousent toujours dans le même sens et obtiennent
généralement une sorte de trapèze plutôt qu'un rectangle.
Il faut donc mettre en forme votre tapisserie et la repasser à la vapeur.

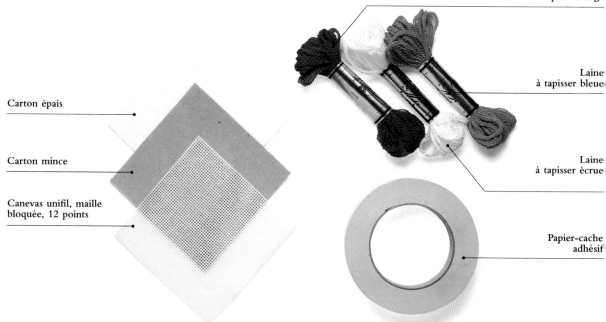

Laine
à tapisser rouge

Laine
à tapisser bleue

Laine
à tapisser écrue

Carton épais

Carton mince

Canevas unifil, maille
bloquée, 12 points

Papier-cache
adhésif

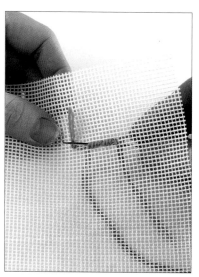

1 *Dédoublez la laine à tapisserie et prenez deux fils que vous enfilez sur une aiguille. Faites un nœud à l'extrémité de l'aiguillée. Commencez dans le coin supérieur droit du canevas, à environ 6 cm du bord, en introduisant l'aiguille dans le canevas par le dessus et la ressortant à environ 2 cm sur la droite.*

2 *Faites un point de tapisserie en introduisant l'aiguille dans le trou à gauche diagonalement opposé au carré d'où l'aiguille est ressortie. Puis ressortez l'aiguille dans le trou juste au-dessus. Continuez en travaillant de droite à gauche. Lorsque vous arriverez au nœud, coupez-le car la laine sera maintenue par les points.*

3 *Lorsque vous atteignez l'extrémité du premier rang, continuez le suivant de gauche à droite et ainsi de suite. L'aiguille pointera alternativement de haut en bas ou de bas en haut suivant le rang. Suivez le graphique page 91 : chaque carré représente un point sur le canevas.*

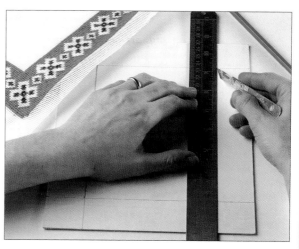

4 Pour changer de couleur de laine, passez l'aiguille à l'arrière du canevas, faites-la glisser sous quelques points et coupez l'extrémité de la laine. Reprenez avec une autre couleur comme précédemment, à 2 cm à gauche de l'endroit où commenceront les points. Suivez le graphique pour compléter la tapisserie.

5 Coupez les bords du canevas. Mettez en forme votre travail et repassez-le avec une pattemouille et un fer à vapeur. Dessinez sur un carton épais un rectangle aux dimensions de votre tapisserie moins deux rangs tout autour, pour permettre à la tapisserie de recouvrir le carton lorsque vous assemblerez le cadre. Avec un scalpel et une règle métallique, découpez le cadre en carton.

6 Découpez la fenêtre dans le canevas à l'aide de ciseaux pointus. Commencez au centre et coupez vers les angles afin d'obtenir quatre rabats triangulaires.

7 Placez la tapisserie à l'envers et posez le cadre en carton dessus. Repliez les rabats triangulaires en canevas sur le carton et maintenez-les avec des pinces à linge. Vérifiez que les bordures intérieures du cadre soient nettes vues à l'endroit. Vous devrez peut-être retendre le canevas et replacer les pinces à linge.

8 Coupez l'excès de canevas et fixez les rabats sur le carton avec du papier-cache adhésif, puis les coins extérieurs du canevas, repliez les rabats extérieurs (voir insert) et fixez-les avec du papier-cache adhésif. Disposez l'image, recouvrez d'un carton mince et fixez sur trois côtés avec de l'adhésif.

Miroir aux oiseaux dorés

FOURNITURES
Papier
Colle de pâte
Gesso
Miroir
Peintures acryliques
Carton mince
Peinture a tempera
dorée en poudre
Colle vinylique
Mastic époxy
Attache de fixation
pour miroir
Superglue

MATÉRIEL
Ciseaux
Pinceau à bâtiment
Crayon
Compas
Règle
Pinceau d'artiste

Ce grand cadre circulaire constitué de plusieurs couches de papier mâché est solide et léger. Il met en valeur les irrégularités intéressantes du papier humidifié ainsi que la bordure délicatement déchiquetée résultant de la superposition des cercles de papier.

Autrefois, la peinture devait être mate et plate pour être respectable. Ici, la texture irrégulière de la peinture augmente l'intérêt visuel du cadre. Les gracieuses courbes dorées semblent flotter au-dessus d'une surface agitée. Si une grande précision n'est pas nécessaire pour peindre les éléments dorés, il faut cependant que le trait soit souple et fluide. On peut s'exercer d'abord sur un morceau de papier pour libérer son coup de pinceau.

Les oiseaux qui décorent ce cadre sont simples et stylisés, mais vous n'obtiendrez la perfection sinueuse du bec et des plumes qu'en vous excerçant auparavant. Enfin, le mastic entourant le miroir exige un modelage soigneux. Si vous avez des doutes sur vos capacités à réussir des ondulations régulières, vous pouvez faire un motif en utilisant les dents d'une fourchette.

Bleu Égée
*Cette file disciplinée
d'élégants oiseaux
dorés s'inspire
de décors grecs tandis
que le bleu du cadre
fait surgir des images
de mer chaude
et de petits bateaux
de pêche.
Peu de cadres sont
aussi suggestifs.*

Miroir avec message
*Message difficile à déchiffrer. Une longue pratique est nécessaire
si vous voulez acquérir suffisamment d'aisance pour obtenir, avec un pinceau
en poil de martre, cette belle écriture rythmée sur fond marbré.
Le bord mastiqué est décoré de perles.*

Fabrication et décoration du cadre

D'élégants oiseaux, ressemblant à Ra, le dieu du soleil égyptien,
défilent en un cercle sans fin sous un ciel bleu outremer.

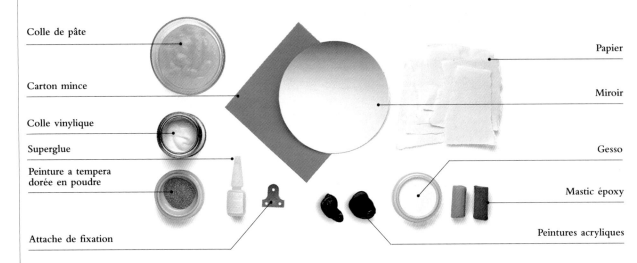

Colle de pâte

Carton mince

Colle vinylique

Superglue

Peinture a tempera
dorée en poudre

Attache de fixation

Papier

Miroir

Gesso

Mastic époxy

Peintures acryliques

1 *Découpez un grand cercle de papier,
mouillez-le pour l'empêcher
de coller et posez-le sur un plan
de travail. Recouvrez-le de 20 couches
de papier enduites de colle de pâte.
Laissez sécher. Les bords du disque
vont se relever légèrement en séchant.
Lorsqu'ils sont secs, recouvrez
les deux côtés du disque d'une couche
de gesso pour obtenir une surface lisse
qui sera décorée à la peinture.*

2 *Lorsque le gesso est sec, dessinez
le tour du miroir au centre
du disque avec un crayon. Peignez
la surface extérieure du disque
de papier avec de la peinture acrylique
vert phtalocyan.*

3 *Avec un compas, dessinez sur un
carton mince un cercle plus grand
que le miroir mais plus petit que
le disque en papier. Divisez-le
en segments égaux à l'aide
d'un compas et d'une règle. Découpez
à l'intérieur un cercle de la taille
du miroir — puis dessinez
les contours d'un oiseau que vous
répétez dans chaque segment.
Découpez le gabarit avec les oiseaux.*

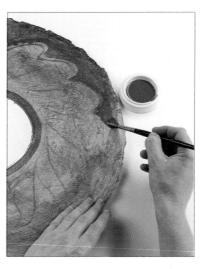

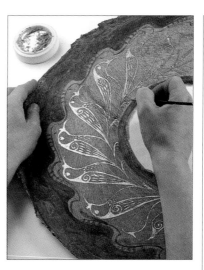

4 *Posez le gabarit sur le disque de papier en faisant correspondre les fenêtres centrales. Avec un pinceau d'artiste trempé dans de la peinture a tempera dorée en poudre diluée à l'eau, peignez le contour des oiseaux en utilisant le gabarit comme guide.*

5 *Peignez le bord intérieur entourant le miroir et le bord extérieur du disque de papier avec de la peinture acrylique bleu outremer diluée. Peignez près du bord extérieur une ligne ondulante qui suit la forme des oiseaux.*

6 *Ajoutez les détails sur les oiseaux. Avec un pinceau d'artiste et de la peinture a tempera dorée, peignez les yeux, les ailes et les plumes.*

7 *Lorsque la peinture est sèche, collez le miroir au centre du cadre avec de la colle vinylique. Roulez un long boudin de mastic époxy et posez-le autour du miroir. Appuyez avec vos pouces pour le mettre en place et modeler un motif décoratif (voir insert).*

8 *Peignez le mastic avec de la peinture a tempera dorée. Passez sur l'envers du cadre une couche de peinture acrylique bleu outremer pour le protéger. Laissez sécher pendant deux heures environ, puis collez une attache de fixation sur l'envers en utilisant une colle forte.*

Minuscule cadre au crochet

FOURNITURES
Carton mince
Toile de jute
Bandes de tissus
assortis de 2 cm
de large
Colle latex
Colle transparente
Feutrine noire
Fil à coudre noir
Anneau d'ouverture
de boîte de conserve
Verre ou miroir

MATÉRIEL
Marqueur noir
Tambour à broder
Crochet
Ciseaux
Aiguilles
Épingles

Autrefois, à la campagne, on fabriquait des tapis de cuisine et de coin de feu avec des lainages et des jupons usés accumulés pendant toute l'année. Découpés en bandes par l'un des plus jeunes membres de la famille, ils étaient poussés ou enfilés avec un crochet sur un fond constitué de sacs à farine en jute. Cela prenait tout l'hiver et on recommençait chaque année. On plaçait alors ces tapis de chiffons à la porte d'entrée pour accueillir les visiteurs ou près de la cheminée pour réchauffer et égayer l'âtre. Ils n'étaient pas faits pour durer éternellement et au fil des années ils étaient relégués du salon à la cuisine, pour terminer sur le tas de fumier.

De nos jours, personne n'a plus ni le temps ni l'envie de se lancer dans de telles entreprises de récupération. Cependant, les tapis de chiffons au crochet ont une texture et une personnalité très spécifique et sont étonnamment faciles à faire. Ce petit cadre amusant est fait de morceaux de tissus synthétiques achetés aux puces. Quel encadrement rêvé pour les armoiries de la famille ! Qui sait, vous pouvez vous laisser séduire et devenir fanatique de ce genre de tapis.

Crêpe et couronne
Les tapis au crochet deviennent vite une marotte — c'est une activité relaxante qui ne demande aucune concentration et qui vous fait voir les problèmes d'un autre œil. Commencez par un petit ouvrage amusant et vite fait, comme ce cadre couronné, et vous en viendrez rapidement à réaliser un tapis d'âtre pour l'aile est du château…

Rag time
Pastiche irrévérencieux des emblèmes pompeux, ces cadres au crochet sont tout simplement royaux — une couronne violette, vert tilleul et rouge et une fleur de lis en tissus mélangés.
Exactement ce qu'il faut pour encadrer votre nomination officielle.

Fabrication et décoration du cadre

Ce petit cadre est un rêve pour les adeptes de la récupération — même l'anneau pour le suspendre provient d'une boîte de conserve.

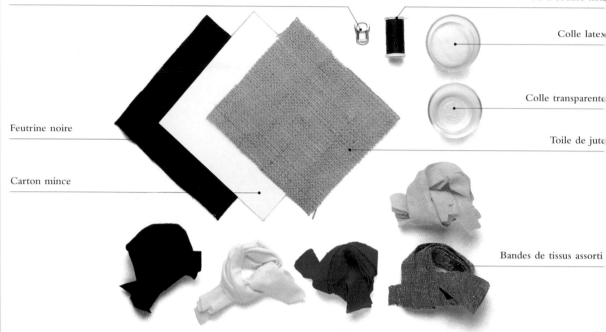

Anneau d'ouverture de boîte de conserve
Fil à coudre noir
Colle latex
Colle transparente
Feutrine noire
Toile de jute
Carton mince
Bandes de tissus assorti

1 *Faites un gabarit de la forme du cadre que vous souhaitez. Avec un marqueur, dessinez les contours du gabarit sur la toile de jute et découpez en laissant une bordure d'au moins 7,5 cm autour du dessin. Fixez la toile de jute sur le tambour à broder.*

2 *Tenez une bande de tissu sous la toile de jute et enfoncez le crochet dans la toile. Guidez le tissu sur le crochet pour former une boucle. Tirez le crochet vers le haut à travers le jute, en faisant passer une extrémité de la bande de tissu sur le dessus.*

3 *Enfoncez à nouveau le crochet à travers la toile, juste à côté de la première boucle. Guidez le tissu sur le crochet et faites-le passer à l'endroit du jute pour former une boucle sur le dessus (voir insert). Tirez sur la bande de tissu jusqu'à ce que la boucle soit de la hauteur souhaitée.*

4 Continuez à faire des rangs de boucles pour remplir l'espace du cadre. Lorsque vous arrivez à la fin d'une bande de tissu, amenez-en l'extrémité sur le dessus et coupez-la à la hauteur des boucles. Prenez un tissu d'une autre couleur quand il le faut.

5 Enlevez la toile de jute du tambour à broder et posez-la à l'envers sur un plan de travail. Coupez le jute qui dépasse en laissant une bordure de 5 cm autour du futur cadre. Avec un morceau de carton, étalez une fine couche de colle latex sur l'envers du travail.

6 Avec des ciseaux, faites des entailles diagonales aux angles de la toile jusqu'à l'espace « bouclé » et pliez les bordures en pressant les coins fortement ensemble. Coupez tout tissu qui dépasse.

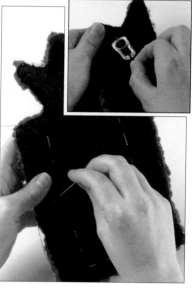

7 Faites des entailles diagonales dans l'espace de la fenêtre, d'un angle à l'autre. Pliez chaque rabat triangulaire sur la surface encollée. Laissez sécher 30 minutes.

8 Étalez une fine couche de colle transparente sur l'envers du cadre ainsi obtenu et posez le côté encollé sur un morceau de feutrine noire. Coupez les bords de la feutrine puis découpez soigneusement la fenêtre. Avec du fil noir, cousez la feutrine à la toile de jute sur tous les bords. Laissez sécher deux heures.

9 Découpez un morceau de feutrine noire pour faire une poche dans laquelle vous glisserez le verre et l'image ou le miroir. Épinglez-la à l'arrière du cadre, en la centrant bien sur la fenêtre. Avec du fil noir, cousez la pochette en place sur trois côtés au point de feston, puis l'anneau d'ouverture de boîte de conserve pour pouvoir l'accrocher (voir insert).

Cadre en papier de soie

À première vue, il est impossible de définir la matière de ce cadre. Avec ses couleurs vives et or superposées, il est aussi somptueux qu'un palais indien et sa texture aussi riche que du scagliola. Sa surface irrégulière et opulente est soigneusement bordée et soulignée. Matière et couleur sont mises respectivement en valeur par leur contraste. Les éléments du cadre sont assemblés suivant un ordre donné bien que non symétrique, tandis que la forme est originale, avec ses arcs et ses figures complexes rappelant l'architecture islamique. Avec des moyens simples en apparence, on obtient un cadre totalement exotique.

Le secret du succès de ce cadre est la subtile superposition de couleurs harmonieuses — il n'y a rien de discordant ou d'éclatant dans la palette employée. On obtiendrait un effet tout aussi réussi en assemblant des couleurs d'automne, des bruns et des fauves. Le même cadre serait complètement différent s'il entourait une gravure rouge vermillon sur fond crème. Le cadre présenté ici est magnifique — il serait splendide sur un mur blanc, mais il a suffisamment de caractère pour ressortir sur du cachemire, sur des tissus ethniques ou sur une peinture vive à la détrempe.

Couleur éclatante
*Aussi riche et exotique
que les trésors
de la casbah, ce cadre
est un hommage
aux qualités palpables
de la peinture
et du papier de soie.
Spontanéité
et maîtrise associées
permettent de réussir
la superposition
des couleurs.
Ce collage est
un miracle d'habileté
et de désinvolture.*

Influence du spectre des couleurs
*Quelques changements dans les formes soulignent l'équilibre
des couleurs comme dans un kaléidoscope. Une réelle mais discrète
maîtrise est nécessaire pour que ces symphonies visuelles
ne deviennent pas une cacophonie chaotique.*

Fabrication et décoration du cadre

*Du papier de soie de couleur rend
ce cadre vraiment somptueux*

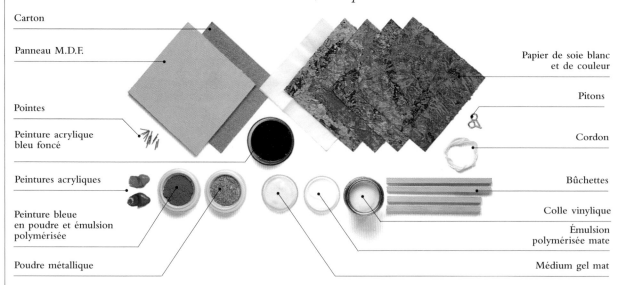

Carton

Panneau M.D.F.

Pointes

Peinture acrylique
bleu foncé

Peintures acryliques

Peinture bleue
en poudre et émulsion
polymérisée

Poudre métallique

Papier de soie blanc
et de couleur

Pitons

Cordon

Bûchettes

Colle vinylique

Émulsion
polymérisée mate

Médium gel mat

1 *Mélangez 10 mesures de couleur en poudre pour une mesure d'émulsion polymérisée et diluez le tout avec de l'eau pour obtenir une consistance crémeuse. Étalez cette crème sur du papier de soie blanc. Quand c'est sec, appliquez des couleurs plus pâles puis la poudre métallique mélangée avec l'émulsion polymérisée, en roulant le pinceau sur le papier pour obtenir un dessin marbré (voir insert). Laissez sécher.*

2 *Tracez la forme du cadre sur le panneau M.D.F. (fibre de densité moyenne). Vous pouvez dessiner un carré ou un cercle, ou, comme ici, un arc avec des créneaux. Découpez le cadre avec une scie à chantourner.*

3 *Peignez les différentes surfaces du cadre en peinture acrylique bleue, violette et verte, de sorte qu'il soit entièrement recouvert et laissez sécher.*

4 *Tracez un rectangle autour de la fenêtre pour guider le collage du papier de soie. Faites chevaucher des bandes de papier de soie de couleur en les collant sur le cadre avec du médium gel mat. Ajoutez autant de couches de peinture et de papier que vous le voulez.*

5 *Autour de la fenêtre, collez quelques bandes de papier de soie de couleur en harmonie avec les précédentes en suivant la ligne tracée au crayon.*

6 *Découpez un deuxième panneau M.D.F., plus grand que la fenêtre du cadre, pour faire le cadre intérieur. Sur ce panneau, découpez une fenêtre pour le miroir. Recouvrez ce cadre intérieur de papier de soie de couleur en le collant avec du médium gel mat. Repliez le papier sur le bord intérieur pour que l'emplacement du miroir soit net. Collez ce cadre intérieur sur le cadre principal avec la colle vinylique. Laissez sécher une nuit entière en mettant un poids dessus.*

7 *Collez autant de papier de soie que vous le souhaitez. Ici, la forme du cadre est rehaussée par le collage de fines bandes latérales et d'un arc. Laissez sécher avant de peindre l'envers du cadre avec de l'acrylique bleu foncé. Quand c'est sec, collez 4 bûchettes autour de la fenêtre du miroir sur l'envers du cadre. Insérez le miroir dans sa fenêtre, posez le carton de fond dessus (voir insert) et clouez-le (voir p. 9). Ajoutez les pitons et le cordon (voir p. 9).*

Pure invention

FOURNITURES
Carton épais
Carton ondulé
Miroir
Papier-cache adhésif
Tissu de coton
Tissu de coton aux
couleurs contrastées
Colle vinylique
Fil à broder
Anneau de rideau
Galon

MATÉRIEL
Feutre
Cutter
Règle
Ciseaux
Aiguille
Épingles

Ces cadres recouverts de tissu enrichissent n'importe quel décor. Ils sont faciles à faire et ne nécessitent que des fournitures élémentaires — chutes de tissu, galon et carton de fond.

Leur technique simple permet toute taille, forme ou couleur. Les formes de minarets aux couleurs épicées sont spectaculaires sur des imprimés indiens ; les carrés ou rectangles classiques conviennent à des intérieurs plus sobres. Un cadre circulaire en chintz, suspendu à un nœud, est à sa place dans la chambre d'une femme, tandis qu'un cadre triangulaire recouvert d'un tartan et aux bords cloutés réfléchit tout naturellement un visage masculin. De la toile à matelas rayée donne une impression de fraîcheur et de netteté. Pour un effet plus somptueux, essayez les tissus d'ameublement — velours et brocart apportent l'éclat de la Renaissance au couloir le plus modeste.

Casbah en tissu cachemire
Cette jolie silhouette rappelle le dôme d'un palais indien. Elle est recouverte d'un tissu cachemire rouge vif et bordée de galons décoratifs et d'une ganse de tissu vert.

Adaptation parfaite
*Des tissus coordonnés produisent un bel ensemble.
Si vous avez trop de miroirs, vous pouvez choisir des cartes postales,
des peintures ou des photos dont les couleurs dominantes
s'harmoniseront ou contrasteront avec votre cadre.*

Fabrication et décoration du cadre

Le tissu est fixé au cadre avec de la colle vinylique.
Attention de ne pas en renverser sur la surface du miroir
sinon essuyez vite avec un chiffon humide.

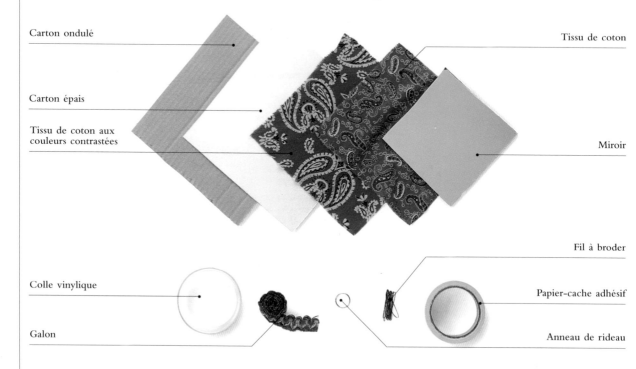

Carton ondulé

Carton épais

Tissu de coton aux
couleurs contrastées

Colle vinylique

Galon

Tissu de coton

Miroir

Fil à broder

Papier-cache adhésif

Anneau de rideau

1 *Faites un gabarit en carton en forme d'arche. Tracez le pourtour de ce gabarit sur le carton ondulé et sur le carton épais et découpez cinq formes : trois sur le carton ondulé et deux sur le carton épais. Découpez au centre d'une des formes en carton épais une fenêtre dont les côtés auront 12 mm de moins que ceux du miroir.*

2 *Tracez les contours du miroir au centre de l'une des formes en carton ondulé. À l'aide d'un cutter, découpez et enlevez le centre du carton et remplacez-le par le miroir. Fixez bien le miroir avec du papier-cache adhésif sur tous les côtés, à l'endroit et à l'envers du carton.*

3 *Placez les deux formes restantes en carton épais sur les deux tissus aux couleurs contrastées. Découpez le tissu en laissant 3 cm de marge tout autour. Mettez de côté un morceau de tissu. Découpez une fenêtre sur l'autre morceau en laissant 2 cm de marge. Faites une petite entaille dans les coins et collez les rabats du tissu sur le carton avec de la colle vinylique.*

4 *Découpez quatre bandes de tissu aux couleurs contrastées, de 4 cm de large et de la longueur des côtés du miroir. Pliez chaque bande en deux et marquez le pli. Avec la colle vinylique, collez chaque bande pliée autour de la fenêtre en dépassant légèrement de façon à voir une bande étroite du tissu lorsque le cadre est à l'endroit.*

5 *À l'aide d'un fil à broder fixez l'anneau de rideau au point de surjet ou de feston dans la partie supérieure et au centre du deuxième morceau de tissu. Puisque cet anneau servira à suspendre le cadre, assurez-vous que la couture est solide. N'oubliez pas qu'il ne faut coudre que la moitié de l'anneau — l'autre moitié doit être utilisée comme crochet.*

6 *Placez le tissu côté anneau sur le plan de travail. À l'aide de la colle vinylique, collez une des formes en carton ondulé sur la forme en carton épais qui reste. Placez ces deux pièces collées ensemble sur le tissu, carton épais en dessous, et rabattez le tissu sur les bords. Faites de petites entailles sur les courbes de l'arc avec des ciseaux et collez le tissu en place avec la colle vinylique.*

7 *Collez le devant du cadre sur les deux formes en carton ondulé qui restent (pour éviter au miroir d'être en contact avec la colle vinylique car cela l'abîmerait). Puis collez ensemble l'arrière et le devant du cadre avec la colle vinylique. Mettez le cadre sous un poids pendant plusieurs heures pour qu'il sèche soigneusement.*

8 *Collez un galon décoratif sur les bords du cadre, en le coupant bord à bord au raccord. Épinglez le galon sur le cadre pour le maintenir en place pendant qu'il sèche. Enlevez les épingles quand la colle est sèche. Pour terminer, frottez légèrement le miroir pour ôter toute trace.*

Miroir gothique

FOURNITURES
Papier-calque
Carton ondulé épais
Colle vinylique
Papier journal
Colle à papier peint
Peinture acrylique
noire
Tasseau
Miroir
Colle tout support
Ficelle
Pâte à modeler
Peinture acrylique
blanche
Sous-couche
acrylique gris foncé
Peinture brillante
bleu foncé
Peinture acrylique
dorée
2 attaches pour cadres

MATÉRIEL
Crayon
Cutter
Règle métallique
Pinceau d'artiste
Pinceau à bâtiment
Éponge
Godet
Tournevis

'est un miroir superbe, parfait pour que le comte Dracula puisse vérifier avant de sortir qu'il n'y a aucune trace d'épinards sur ses canines, ou pour que le comte d'Essex puisse ajuster sa perruque avant de badiner avec la reine Elizabeth. Cet encadrement est captivant car la complexité de son assemblage fait oublier la simplicité de ses matériaux. En dépit de sa grande taille, ce cadre à l'allure de muraille crénelée n'est fait que de carton ondulé, il est donc très léger et portable.

Pour accentuer le côté sérieux et ancien du cadre, vous pouvez utiliser un verre piqué et vieillir la peinture. Il s'intégrerait parfaitement dans un décor seigneurial, idéalement avec des tours crénelées — peut-être une entrée gothique voûtée où il refléterait la lumière vacillante des bougies dans des chandeliers en métal. Ou encore son austérité masculine, son humour et son charme s'imposeraient sur les murs blancs et parmi les meubles design d'un loft.

Splendeur troublante
Pour cet encadrement, montrez-vous à la hauteur, dites-vous que le château sera pour plus tard. Une hallebarde, une cotte de mailles et une armure compléteraient idéalement le tableau.

Créneaux en carton
Rien ne manque dans cette version brun-roux d'un miroir héraldique : les tours, l'étoile, les armoiries et les créneaux. La fabrication de ce cadre est minutieuse, mais sa beauté compense les efforts fournis.

Fabrication et décoration du cadre

*Miroir élégant et puissant — simplement miraculeux
quand vous réalisez qu'il n'est fabriqué
qu'avec du carton ondulé.*

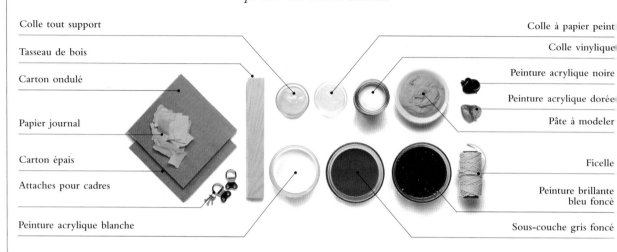

Colle tout support

Tasseau de bois

Carton ondulé

Papier journal

Carton épais

Attaches pour cadres

Peinture acrylique blanche

Colle à papier peint

Colle vinylique

Peinture acrylique noire

Peinture acrylique dorée

Pâte à modeler

Ficelle

Peinture brillante
bleu foncé

Sous-couche gris foncé

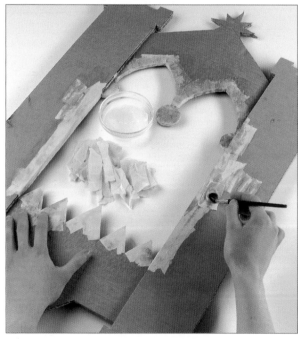

1 *Photocopiez les gabarits (voir pp. 92-93) à la taille
voulue. Tracez les gabarits A à I sur le carton ondulé.
Tracez les gabarits K et L sur le carton épais. Découpez
les éléments avec un cutter et une règle métallique
pour les bords droits. Vous devez avoir au total 14 pièces
de carton ondulé ; le nombre de pièces découpées sur
le carton épais — les briques — dépendra de la taille
de votre cadre.*

2 *Avec de la colle vinylique, collez les deux pièces de côté
(E) sur la pièce de devant (D). Avec de la colle à papier
peint, collez des morceaux de papier journal déchiré sur
la bordure intérieure. Peignez le dessous de la bordure avec
la peinture acrylique noire pour empêcher le carton
de se refléter dans le miroir.*

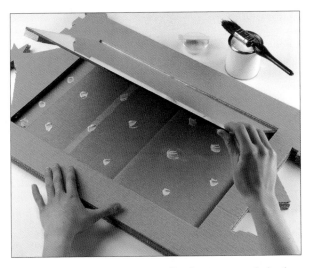

3 *Avec la colle tout support, collez le tasseau sur la bordure supérieure et à l'envers du miroir. Assemblez le cadre en suivant le schéma de la page 93. Avec la colle vinylique, assemblez d'abord les pièces du fond (A et B) et la pièce du centre (C). Insérez le miroir dans la pièce du centre et fixez-le avec la colle tout support. Repérez la position du tasseau sur le dos du cadre (c'est là qu'il faudra fixer les attaches).*

4 *Avec la colle vinylique, collez la pièce de façade (D) au-dessus du miroir. Fixez deux socles (I et H) à la base de chacun des côtés. Puis collez les créneaux (F) au sommet de chacun des côtés, et l'étoile (G) au centre du sommet du cadre. Avec la colle à papier peint, collez trois ou quatre couches superposées de papier journal déchiré sur toute la surface du cadre et laissez sécher.*

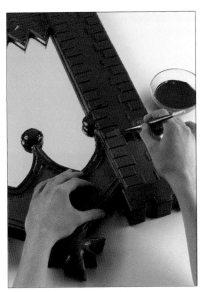

5 *Ajoutez les détails décoratifs. Collez la ficelle tout autour du panneau central. Modelez en ronde-bosse une étoile, des demi-sphères et une fleur de lis (J) avec de la pâte à modeler et collez-les sur le panneau central. Collez des briques (K et L) le long des deux côtés, en alternant des longues et des courtes.*

6 *Peignez l'ensemble du cadre avec plusieurs couches de peinture acrylique blanche pour consolider le tout. Quand c'est sec, appliquez une sous-couche gris foncé et, pour terminer, une couche de peinture brillante bleu foncé. Laissez sécher.*

7 *Trempez une éponge dans la peinture acrylique dorée, tamponnez l'excès de peinture dans un godet, puis tamponnez l'éponge sur les parties saillantes du cadre, y compris les briques, l'étoile, les demi-sphères, la fleur de lis et les socles. Quand tout est sec, vissez deux attaches au dos du cadre sur le repère du tasseau (voir insert).*

Cadre d'or et de velours

FOURNITURES

Carré de papier
de 35 cm de côté

Carré de velours
de 35 cm de côté

2 carrés de tissu
de 30 cm de côté

Fil de rayonne de
couleur

Soie bleue et orange
en bandelettes
de 12 mm de largeur

Colle vinylique

Miroir

2 carrés de carton
ondulé de 25 cm de
côté

Peinture émail dorée

Papier-cache adhésif

MATÉRIEL

Feutre

Règle

Épingles

Craie de tailleur

Machine à coudre

Petits ciseaux pointus

2 pinceaux à bâtiment

1 cutter

Il est difficile de faire un cadre plus somptueux que celui-ci. La matière première à elle seule est digne des trésors de la caverne d'Ali Baba avec des couleurs et une texture d'une richesse incomparable. Pour ceux qui n'aiment rien jeter, ce cadre est un superbe exemple de réutilisation des rubans d'emballage des cadeaux de Noël. Mais soyez audacieux ; l'effet spectaculaire de ce cadre doit beaucoup à l'imprécision voulue avec laquelle il a été assemblé. Si vous êtes trop minutieux et trop exact, vous obtiendrez quelque chose de guindé et de tarabiscoté.

Les tissus ont un grand avantage : vous pouvez essayer les différentes combinaisons de couleurs, de matières et de motifs avant de commencer. Dans le cas présent, le magnifique mélange de soie et de velours donne un caractère baroque espagnol. Vous pouvez même rajouter des pompons dorés, des morceaux de miroir, des sequins, des galons et des perles. Mais des tissus plus simples seront peut-être mieux assortis à votre intérieur. Laissez-vous guider par votre amour des tissus.

Splendeur baroque

Il arrive un moment où chaque individu a besoin d'une note de prestige. Le tout est de ne pas en avoir peur. Si vous optez pour un décor fastueux, osez le papier floqué sur vos murs, les drapés de velours somptueux et les fleurs dorées. Ne vous excusez pas, faites-vous plaisir !

Chutes somptueuses
Il y a autant de variantes sur le thème du satin et de la soie, du velours et de l'or que vous avez de chutes de tissu, d'idées et d'énergie. Inspirez-vous de l'architecture gothique et des costumes élisabéthains.

Fabrication et décoration du cadre

*Créez un savant kaléidoscope de couleurs et de matières
en puisant dans votre collection hétéroclite
de chutes de tissus. C'est une façon séduisante d'utiliser
des tissus trop beaux pour être jetés.*

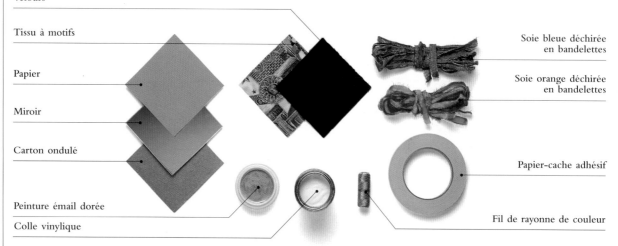

Velours

Tissu à motifs

Papier

Miroir

Carton ondulé

Peinture émail dorée

Colle vinylique

Soie bleue déchirée en bandelettes

Soie orange déchirée en bandelettes

Papier-cache adhésif

Fil de rayonne de couleur

1 *Avec un feutre, tracez sur le papier le motif décoratif du cadre. Ici, le dessin est un assemblage symétrique simple de lignes droites et de courbes. Épinglez l'envers du carré de velours sur l'endroit de l'un des carrés de tissu à motifs. Transférez le dessin du papier sur le velours avec une craie de tailleur (voir insert).*

2 *Avec une machine à coudre et du fil de rayonne de couleur, faites deux rangs de points de devant le long des traces de craie. Surfilez les bords du carré au point zigzag.*

3 *Avec des petits ciseaux, découpez le velours entre la bordure et les courbes extérieures du dessin pour découvrir le tissu à motifs. Coupez au ras de la couture, sans couper le fil.*

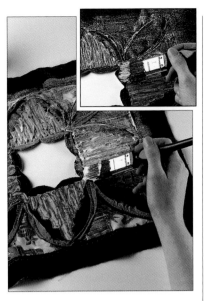

4 *Cousez les bandelettes de soie bleue autour des courbes découpées pour souligner le velours. Lorsque vous arrivez à la fin d'une bandelette, cousez la suivante en mettant les extrémités bord à bord.*

5 *Cousez les bandelettes de soie orange de haut en bas dans les demi-cercles de velours, en formant un triangle. Utilisez soit le pied de biche droit, soit le pied de biche à broder de la machine à coudre. Découpez le centre des carrés de tissu.*

6 *À l'aide d'un pinceau à bâtiment, passez de la colle vinylique sur la surface du tissu. Laissez sécher jusqu'à ce que la colle devienne transparente. Passez une couche légère de peinture émail dorée qui ne recouvrira que les parties saillantes (voir insert).*

7 *À l'aide d'un cutter, découpez le centre d'un carré de carton de la taille du miroir. Insérez le miroir dans la fenêtre et fixez-le avec du papier-cache adhésif. Passez de la colle vinylique sur le carton autour du miroir, puis placez-le côté colle en dessous sur l'envers du carré de tissu peint, en vous assurant que le miroir est bien centré. Rabattez le tissu à motifs sur l'envers du carton et étalez de la colle sur le velours. Pliez les rabats du velours sur le carton en appuyant pour le fixer solidement.*

8 *Collez un carré de tissu à motifs sur le carré de carton restant, en pliant les extrémités pour le fixer. Avec de la colle vinylique assemblez les deux carrés formant le cadre, côté tissu vers l'extérieur. Si vous le souhaitez, cousez un anneau de rideau sur l'envers en guise de crochet (voir p. 77).*

Quelques idées

Les cadres en papier et en tissu peuvent être très ingénieux et sont une bonne occasion de s'amuser. Ce chapitre vous incitera à vous servir du crochet, à broder à la machine, à faire du papier mâché, du découpage et du batik, pour fabriquer la base ou le décor d'un cadre.

▶ **Cadre en soie matelassée.**
Inspiré des bijoux islamiques et indiens, cet encadrement de miroir est en soie ornée d'appliqués et de points décoratifs puis molletonnée avec de la bourre ou du molleton.

▲ **Volière en papier mâché**
Ce cadre de papier mâché coloré est réalisé avec de la pâte à papier lissée sur une base de carton, puis décoré d'oiseaux stylisés dessinés aux pastels pour donner une texture irrégulière.

◀ **Cadre au crochet**
Ce miroir, renouvelant la tradition du crochet, est gai et actuel. Fait de bouts de tissus rouges, jaunes et bleus, c'est un cadre amusant, impertinent et rapide à faire.

▶ **Doré et fastueux**

Ce cadre est une splendide création qui donnera immédiatement une touche fastueuse à votre intérieur. Il est fait avec du carton et de la pâte à papier et décoré avec de la peinture à l'huile et de la feuille or adhésive.

▲ **Jolie œuvre de papier**

Minutieusement construite à partir de pièces de bois collées et chevillées ensemble, cette petite armoire ornementale est recouverte de plusieurs couches de bandes de papier et décorée de peinture à l'huile et d'encres. Cuivre et laiton peuvent compléter le décor.

◀ **Couleur électrique**

Ce cadre multicolore, dont le centre est une véritable œuvre d'art, est en contre-plaqué recouvert de papier aquarelle qui a été teint et décoré à la plume. Les cônes de papier accentuent son originalité.

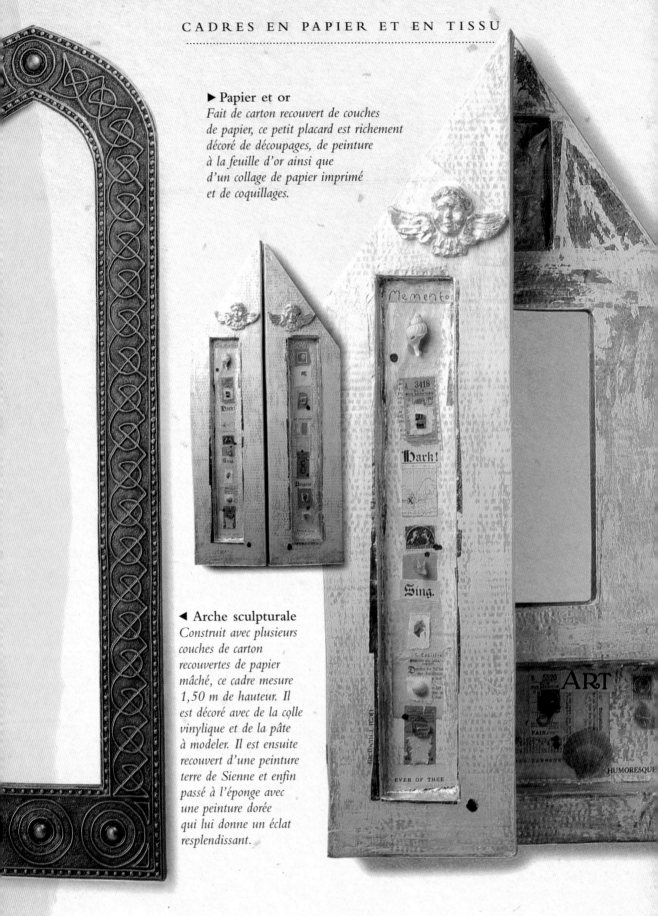

► **Papier et or**
Fait de carton recouvert de couches de papier, ce petit placard est richement décoré de découpages, de peinture à la feuille d'or ainsi que d'un collage de papier imprimé et de coquillages.

◄ **Arche sculpturale**
Construit avec plusieurs couches de carton recouvertes de papier mâché, ce cadre mesure 1,50 m de hauteur. Il est décoré avec de la colle vinylique et de la pâte à modeler. Il est ensuite recouvert d'une peinture terre de Sienne et enfin passé à l'éponge avec une peinture dorée qui lui donne un éclat resplendissant.

▼ **Bordé d'argent**

Ce cadre stylisé est facile à faire en collant un beau papier décoré sur un cadre de bois brut. La bordure intérieure est argentée à la feuille d'argent et l'ensemble du cadre est consolidé avec du vernis.

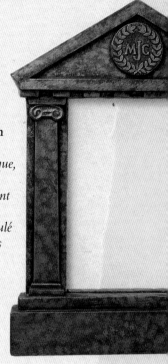

► **Style palladien**

Inspiré de l'architecture classique, ce cadre à fronton triangulaire imposant est construit avec du carton ondulé recouvert de couches de papier journal. L'effet marbré est obtenu avec une peinture acrylique grise passée à l'éponge.

▼ **Cadre en batik**

Ce cadre de bois est d'abord peint avec une peinture pour voiture en spray, puis recouvert d'un batik collé. L'ensemble du cadre est consolidé avec un vernis clair.

▲ **Couronné de lierre**

Ce cadre en papier mâché ingénieux est décoré de feuilles de lierre. Chaque feuille est constituée de plusieurs couches de papier collées ensemble, et fixée au cadre avec un fil de fer pour une bonne tenue.

Gabarits

*Vous trouverez ci-dessous les gabarits pour quatre des projets proposés
dans ce livre. Photocopiez les gabarits en les agrandissant
à la taille voulue et en veillant à garder la même échelle pour tous
les gabarits d'un même projet.*

Cadre rustique aux coqs
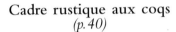
(p. 40)

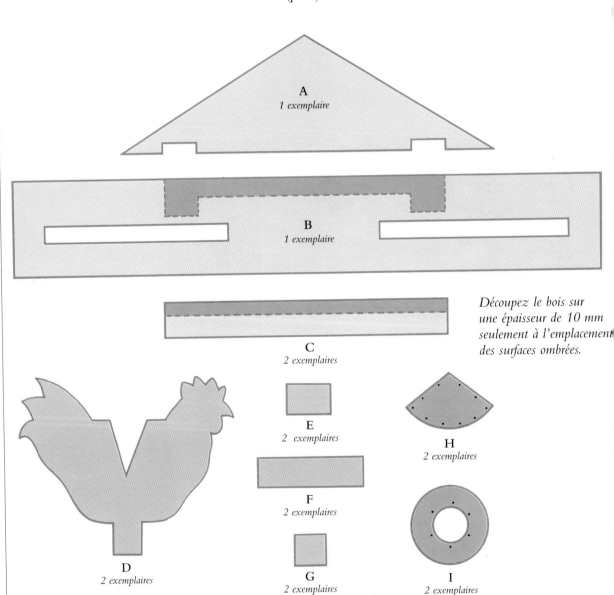

A
1 exemplaire

B
1 exemplaire

*Découpez le bois sur
une épaisseur de 10 mm
seulement à l'emplacement
des surfaces ombrées.*

C
2 exemplaires

E
2 exemplaires

H
2 exemplaires

F
2 exemplaires

D
2 exemplaires

G
2 exemplaires

I
2 exemplaires

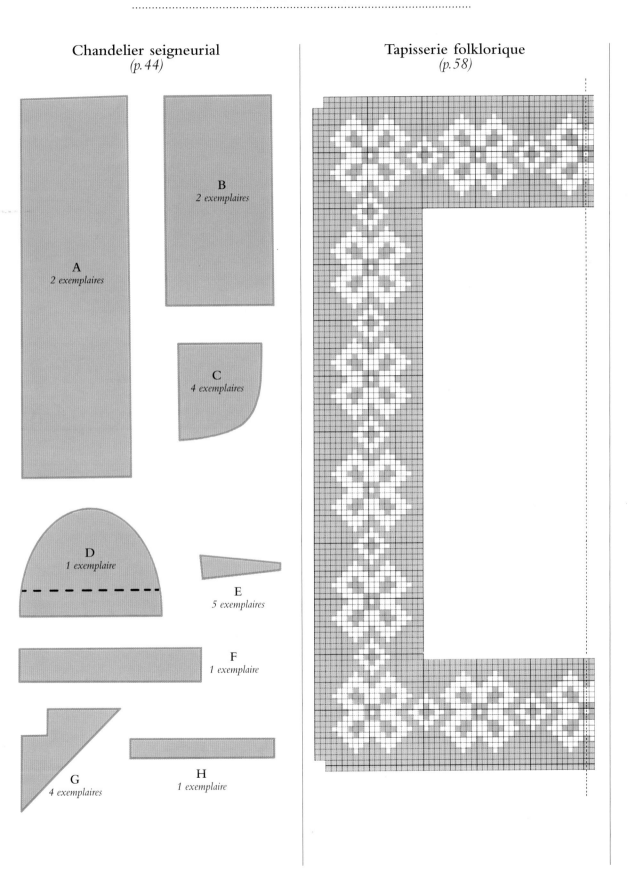

Chandelier seigneurial
(p. 44)

A
2 exemplaires

B
2 exemplaires

C
4 exemplaires

D
1 exemplaire

E
5 exemplaires

F
1 exemplaire

G
4 exemplaires

H
1 exemplaire

Tapisserie folklorique
(p. 58)

Miroir gothique
(p. 78)

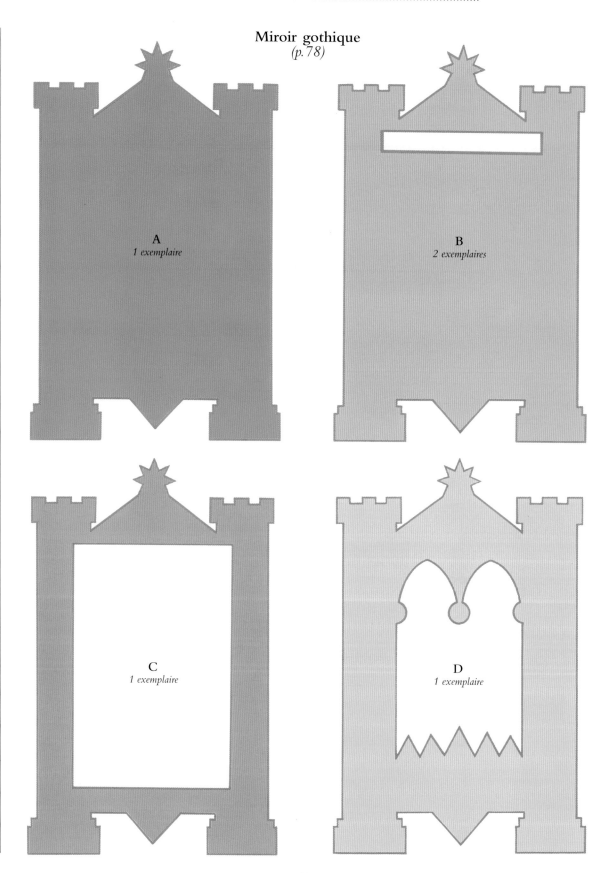

A
1 exemplaire

B
2 exemplaires

C
1 exemplaire

D
1 exemplaire

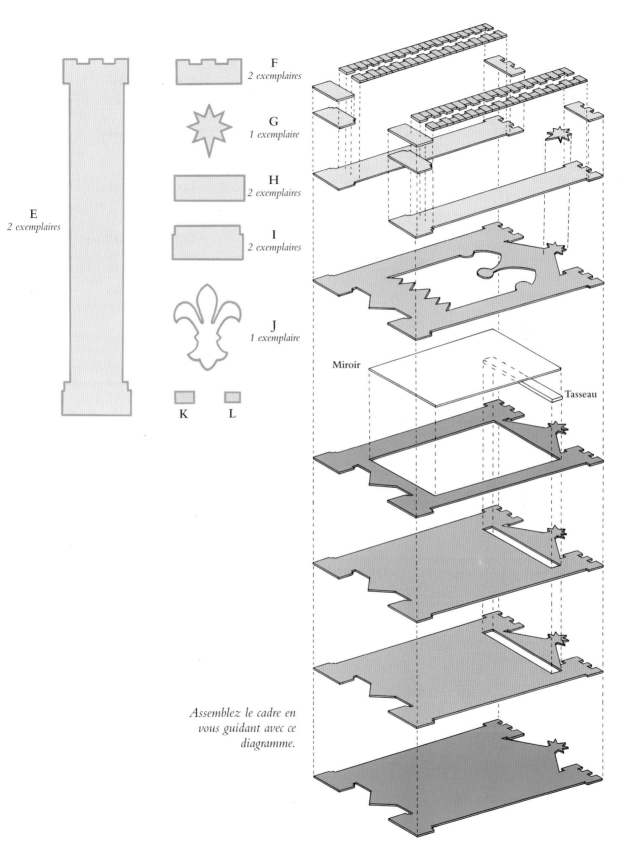

E
2 exemplaires

F
2 exemplaires

G
1 exemplaire

H
2 exemplaires

I
2 exemplaires

J
1 exemplaire

K   L

Miroir

Tasseau

Assemblez le cadre en vous guidant avec ce diagramme.

93

Collaborateurs

L'auteur
pp. 12-15 ; pp. 20-23

Madeleine Adams
p. 86 au centre

Sonia Akow
pp. 24-27 ; p. 51 en bas à droite

Claire Bawcutt
p. 50 en bas

Alison Britton
p. 89 en bas à droite

Patrick Burton
pp. 70-73

Ann Carter
p. 89 en bas au centre

Martin Cheek
pp. 36-39

Jason Cleverly
p. 48 en haut

Patricia Crowther
p. 49 au centre

Hazel Dolby
p. 88 en bas à droite

Amanda Foot
pp. 40-43

Ann Frith
pp. 54-57 ; p. 87 en bas à droite

Victor Stuart Graham
p. 50 en haut à gauche

Gigi Griffiths
pp. 74-77

Tony Isseyegh
p. 51 au centre

Paul Johnson
p. 86 en bas à droite

Andrea Maflin
p. 89 en haut à gauche

Lorna Moffat
pp. 82-85

Helen Musselwhite
pp. 28-31 ; p. 51 en haut à droite

Cleo Mussi
p. 49 à droite

Mary Norden
pp. 58-61

Sarah Parish
pp. 16-19

Maxine Pharoah
pp. 50-51 en haut au centre

Mandy Pritty
pp. 48-49 en bas

Trisha Rafferty
p. 48 au centre

Lizzie Reakes
pp. 66-69 ; p. 86 en bas à gauche

Carolyn Sansbury
pp. 62-65

Jackie Shelton
p. 88 en haut à droite

Claire Sowden
p. 86 en haut à droite

Eleanor Staley
pp. 78-81 ; p. 88 à gauche ; p. 89 en haut à droite

Alison Start
pp. 44-47

James Taylor
pp. 32-35

Juliet Walker
p. 87 en haut à gauche

Steve Wright
p. 49 en haut

Index

Remerciements

Ce livre doit beaucoup au talent et à la géné-rosité de nombreux encadreurs dont l'œuvre est présentée ici. Les artisans sont en voie de disparition et gagnent mal leur vie. J'espère que ce livre vous incitera à partager leur plaisir à fabriquer des cadres, mais il ne doit pas vous empêcher d'ache-ter leurs créations artistiques, variées et inventives. Heureusement, il existe quelques salons tels que Craft Movement, Dazzle, et Chelsea Craft Fair par exemple. Parmi les nombreuses galeries qui regorgent de talents, la Bluecoat School à Liverpool et Craftdirect à Brighton, ont été d'une grande aide et de bon conseil.

Ce livre a pu prendre forme grâce aux efforts des personnes suivantes. Clive Streeter, qui a pris les pho-tos, personnifie la patience, l'endurance et l'ingénio-sité. Marnie Searchwell a assuré une direction artis-tique méticuleuse. Ali Edney, excellente styliste, a parcouru d'incalculables distances pour trouver des accessoires. Heather Dewhurst a réalisé la tâche diffi-cile de rédiger les instructions détaillées et de super-viser l'édition.

Stuart Stevenson, dont la remarquable boutique porte le nom, nous a laissé toute liberté pour utiliser ses peintures et ses papiers. Roger Bristow a été parfois d'un grand secours et Sarah Hoggett a coordonné l'ensemble. Enfin, Kate Haxell et Claire Wothington ont apporté une contribution non négligeable.

Les boutiques suivantes ont apporté leur aimable soutien pour les photographies :

The Bath House
Liberty PLC, Regent Street,
London W1R 6AH ;
Tel : 0171-734 1234.
Porte-savon, savon, escargot et bouteilles chromées présentés p.55 ; bouteilles en verre gravé représentées p. 59.

City Hardware
6-10 Goswell Road,
London EC1M 7AA ;
Tel : 0171-253 4095.
Quincaillerie.

Czech & Speake
244-254 Cambridge Heath Road,
London E2 9DA ;
Tel : 0181-980 4567.
Tablette en verre avec supports chromés présentée p. 55.

Farrow & Ball
33 Uddens Trading Estate,
Wimborne, Dorset BH21 7NL ;
Tel 01202 876141.
Peinture mate « Stone white » figurant p. 21.

Foxell and James Ltd
57 Farrington Road,
London EC1M 3JH ;
Tel : 0171-405 0152.
Pigments et peintures pour professionnels.

C.R. Frost & Son Ltd
60-62 Clerkenwell Road,
London EC1M 5PX ;
Tel : 0171-253 0315.
Quincaillerie pour profession-nels.

Liberty PLC
Regent Street,
London W1R 6AH ;
Tel : 0171-734 1234.
Mercerie.

Osborne and Little
49 Temperley Road,
London SW12 8QE ;
Tel : 0181-675 2255.
Papier peint mural en pp. 13 et 79.

Stuart R. Stevenson
68 Clerkenwell Road,
London EC1M 5QA ;
Tel : 0171-253 1693.
Fournitures d'artistes.

The V & N
29 Replingham Road,
London SW18 5LT ;
Tel : 0181-874 4342.
Collier en perles de verre présenté p. 59 ; deux chande-liers français figurant p. 83.

Watts of Westminster
7 Tufton Street,
London SW1P 3QE ;
Tel : 0171-222 2893.
Chenille de coton en p. 83.

Achevé d'imprimer par Pollina à Luçon en juin 1996
N° d'édition : 7823 – Dépôt légal : septembre 1996
Imprimé en France